英語
プレゼンテーションの
基本スキル

グレートプレゼンターへの道

フィリップ・ディーン＋
ケビン・レイノルズ＝著

朝日出版社

The Great
Presenter

The Great Presenter
Learn How to Create and Deliver International Business Presentations in English
By Philp Deane and Kevin Reynolds
A special thank you to over 2,500 of our students who helped make this book possible. We look forward to hearing your comments.

Second Edition
Copyright © February 2002 Philip Deane and Kevin Reynolds.
All rights reserved. No part of this publication may be reproduced, stored in a retrieval system, or transmitted, in any form or by means, electronic, mechanical, photocopying, recording or otherwise without the prior permission of the copyright owner.
Produced by Globalinx Corp.

本書の一部または全部を著作権法の定める範囲を超え、著作者に無断で複写、複製、転載、テープ化、ファイル化をすることは禁じられております。

はじめに

　あなたは、これまで英語を使ったプレゼンテーションを経験したことがおありですか？　経験された方はどんな点が難しかったでしょうか？
　また、これからプレゼンテーションを予定されている方は、プレゼンテーションに対してどんなイメージをお持ちでしょうか？　ただ自分の言いたいことが正確に英語に翻訳されてさえいれば十分だ、とお思いではないでしょうか？
　多くの日本人にとって、英語でプレゼンテーションを行う機会は少なく、あったとしても話し手の一方的な話だけで終わってしまうことが少なくないようです。
　今日、英語でのプレゼンテーションの重要性はますます増しており、より効果的で説得力があり、聞き手に対してより良いイメージを与えるプレゼンテーションが求められています。本書『英語プレゼンテーションの基本スキル―グレートプレゼンターへの道―』は、日本人ビジネスパーソンが英語でのプレゼンテーションを効果的に準備し、聞き手の記憶に残る発表を行うにはどうしたら良いかが、ステップ方式で学べるように構成されています。
　実際に講義を受けているのと同じように、重要な点が繰り返し述べられており、記憶にとどめやすいように工夫されています。本書そのものが、良いプレゼンテーションの手本となるように構成されているのです。
　本書に掲載されている様々なテクニックやスキルは、日本の大手企業(三菱商事、三菱電機、NTTコミュニケーションズ、NTTデータ、パイオニアなど)での「国際プレゼンテーションスキル研修」における実践的な経験が基になっています。従って、本書は単なる学術書や理論のみを追求したものではなく、実践の場で活用できるように多くの事例やサンプルを挙げ、それらを活用しながら学べるように構成されています。
　本書を通して、国際ビジネスプレゼンテーションの理解を深め、スキルをマスターし、実務に役立てていただけることを願っています。

2002年2月
著者

The Authors（著者）

　私たちPhilip DeaneとKevin Reynoldsは、株式会社グローバリンクスにおいて、ともに企業内研修のビジネスコミュニケーション・トレーニングに10年以

上にわたって携わってきました。私たちは、トレーニングを通して、日本人ビジネスパーソンがプレゼンテーションを作成し発表するときに感じている難しさを実感しています。

　その経験から、ビジネスパーソンがプレゼンテーションのやり方を学び、効果的な国際ビジネスプレゼンテーションを作成する手助けとして、『英語プレゼンテーションの基本スキル―グレートプレゼンターへの道―』を出版することになりました。

　本書を通して、国際的に通用するグレートプレゼンターとして活躍できるように、ビジネスコミュニケーション・スキルの向上を目指していただきたいと思います。本書が、皆さんのビジネス支援ツールになり、また有益なラーニング経験になることを願っております。

Globalinx Corp.
―Corporate Training Services―
　株式会社グローバリンクスは、1968年に創立されて以来、日本企業や外国企業のビジネスパーソンを対象に、国際ビジネスコミュニケーション・スキル、異文化マネジメントスキル、人事管理スキル、人間関係スキルなどの研修プログラムを提供している研修専門機関です。これらのプログラムを通して、多くの人が国際舞台で活躍するために必要なビジネスコミュニケーション・スキルやマネジメントスキルを開発し、上達するためのお手伝いをしております。

株式会社グローバリンクス
―インターナショナル・トレーニング・コンサルタンツ―
〒101-0041　東京都千代田区神田須田町2-23
野村第一ビル5階
TEL:03-5297-8243　FAX:03-5297-8689
URL: http://www.globalinx-itc.com
E-mail glx@globalinx-itc.com

目次／CONTENTS

はじめに 3

Making Successful Presentation
［成功するプレゼンテーションとは］ 9

The Three Speaking Goals 10
［プレゼンテーションの3つの達成目標］

Most Common Mistakes Made by Japanese Presenters 11
［日本人プレゼンターが犯しがちな過ち］

What's Behind These Poor Presentation Skills? 13
［なぜ貧弱なプレゼンテーションになってしまうのか］

How Can You Become an Effective Presenter? 15
［グッドプレゼンターになるには］

Section 1: Preparing the Presentation
［プレゼンテーションを準備する］ 17

Basic Presentation Structure 18
［プレゼンテーションの基本構成］

What Is the Best Method of Preparing a Presentation? 19
［プレゼンテーション準備のための最良の方法とは］

Step 1: Presentation Analysis 22
［プレゼンテーションを分析する］

   Three Areas of Presentation Analysis 22
   ［プレゼンテーションの3つの分析領域］

   1. Consider the Audience 24
   ［聞き手・聴衆を分析する］

   2. Define Objectives 29
   ［目的・ねらいを明確化する］

   3. Develop Content 33
   ［内容・中身を構成する］

Step 2: Write the Presentation 40
［プレゼンテーションを書く］

Basic Presentation Structure ……………………………………… 41
［プレゼンテーションの基本構成］
1. Begin Powerfully ……………………………………………… 43
［説得力ある開始］
    How to Begin Powerfully ………………………………… 43
    ［説得力ある始め方］
    Other Techniques for Beginning Powerfully …………… 51
    ［説得力ある開始：その他のテクニック］
2. Present Logically …………………………………………… 57
［論理的な展開］
    How to Present Logically ………………………………… 57
    ［論理的な展開の仕方］
    Other Techniques for Presenting Logically …………… 63
    ［論理的展開：その他のテクニック］
3. Maintain Interest …………………………………………… 67
［聞き手の注意・興味を引く］
    How to Maintain Interest ………………………………… 67
    ［聞き手の注意・興味の引き方］
4. Use Visuals ………………………………………………… 74
［ビジュアルエイドの活用］
    How to Use Visuals ……………………………………… 74
    ［ビジュアルエイドの活用法］
5. Finish Powerfully …………………………………………… 85
［説得力ある結び］
    How to Finish Powerfully ………………………………… 85
    ［説得力ある終わり方］
    Other Techniques for Finishing Powerfully …………… 91
    ［説得力ある結び：その他のテクニック］

Step 3: Practice and Deliver …………………………………… 96
［話し方・伝え方を練習する］
1. Check Structure and Content …………………………… 97
［構成と中身を再度チェックする］

2. How to Practice Effectively ……………………… 100
　　[効果的な練習の仕方]
　3. Deliver Clearly and Enthusiastically ………… 102
　　[効果的な話し方]
　4. Handling Questions and Answers …………… 106
　　[質疑応答のコツ]
　In Summary: Section 1 Preparing the Presentation ……… 110
　　[まとめ：Section 1 プレゼンテーションを書く]

Section 2: Strategies for Success ……………… 111
[成功のための有益情報とヒント]
　Tip1: Presentation Structures ……………………… 113
　　[状況別論理的展開についてのヒント・注意事項]
　Tip2: What to Do When ……………………………… 119
　　[難しい局面での有益なヒント・テクニック]
　Tip3: Country by Country …………………………… 122
　　[文化・地域・国別の対応情報とアドバイス]
　Tip4: Analyze the Audience ………………………… 131
　　[聞き手・聴衆の分析の詳細]

Section 3: Presentation Examples ……………… 141
[様々なプレゼンテーションの例]
　Ex1: Example Introductions ………………………… 142
　　[イントロダクションの例]
　　■ Presenting a New Product to Customers …… 142
　　　[顧客への新商品紹介]
　　■ A Marketing Report ……………………………… 144
　　　[マーケティング報告]
　　■ Presenting to an Engineering Team ………… 145
　　　[エンジニアチームへのプレゼンテーション]
　　■ Personnel Director to Managers …………… 147
　　　[人事部長から経営陣へのプレゼンテーション]

- ■A Performance Evaluation ……………………………… 148
  [業績評価]

Ex2: Examples of Logical Presentations ……………… 151
[論理的展開の例]
- ■Training Results …………………………………………… 151
  [研修成果]
- ■A Manufacturing Portfolio ……………………………… 153
  [製造に関する全体像]
- ■Improving System Efficiency …………………………… 155
  [システム効率の向上]
- ■Asking for Decisions …………………………………… 157
  [決定を求める]

Ex3: Example Conclusions …………………………………… 160
[結論の例]
- ■Presenting a New Product to Customers ……………… 160
  [顧客への新商品紹介]
- ■A Marketing Report ……………………………………… 161
  [マーケティング報告]
- ■Presenting to an Engineering Team …………………… 162
  [エンジニアチームへのプレゼンテーション]
- ■Personnel Director to Managers ……………………… 164
  [人事部長から経営陣へのプレゼンテーション]
- ■A Performance Evaluation ……………………………… 165
  [業績評価]

Ex4: Example Presentations ………………………………… 168
[完成版プレゼンテーションの例]
- ■Sales: New Products to Overseas Distributors ……… 168
  [セールス：海外販売代理店に対する新製品の発表]
- ■Engineering: Presenting Technology at an International Conference ‥177
  [エンジニアリング：国際会議での技術発表]
- ■Internal: Asking for Resources to Meet a Client's Needs …… 190
  [社内向け：顧客ニーズに対応するためのリソース（人員・予算）の要求]

The Great Presenter

Making Successful Presentation
成功するプレゼンテーションとは

- ■ プレゼンテーションの3つの達成目標
- ■ 日本人プレゼンターが犯しがちな過ち
- ■ なぜ貧弱なプレゼンテーションになってしまうのか
- ■ グッドプレゼンターになるには

成功するプレゼンテーションとは何でしょうか？　これは良い質問です。
　成功するプレゼンテーションとは以下のような聞き手・聴衆の反応で決まります。

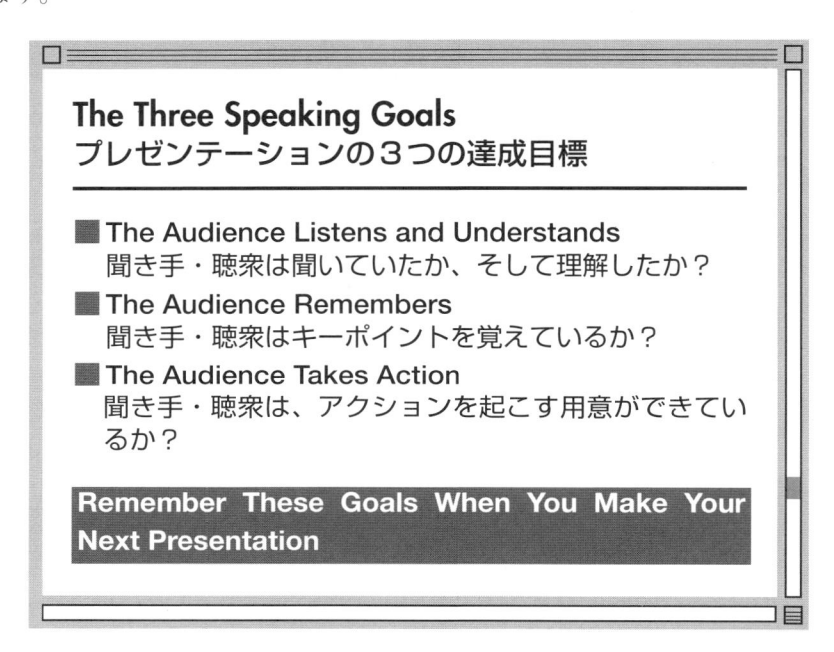

> **The Three Speaking Goals**
> **プレゼンテーションの３つの達成目標**
>
> ■ **The Audience Listens and Understands**
> 　聞き手・聴衆は聞いていたか、そして理解したか？
> ■ **The Audience Remembers**
> 　聞き手・聴衆はキーポイントを覚えているか？
> ■ **The Audience Takes Action**
> 　聞き手・聴衆は、アクションを起こす用意ができているか？
>
> **Remember These Goals When You Make Your Next Presentation**

■聞き手・聴衆は聞いていたか、そして理解したか？
■聞き手・聴衆はキーポイントを覚えているか？
■聞き手・聴衆は、アクションを起こす用意ができているか？

これら３つの目標をクリアすることができれば、そのプレゼンテーションは成功といえるのです。しかしながら、多くのプレゼンターはこれらの目標をなかなか達成できません。なぜでしょうか？　これらの目標を達成するプレゼンテーションを行うには、何が必要なのでしょうか？
　本書ではこの質問に答えるだけではなく、より効果的なプレゼンテーションを行うための様々なヒント・コツを、実例を挙げながら紹介していきます。

> **Most Common Mistakes Made by Japanese Presenters**
> **日本人プレゼンターが犯しがちな過ち**
>
> - **Content Does Not Meet Audience Expectations**
>   内容が聞き手・聴衆の期待にマッチしていない
> - **Weak Introduction**
>   イントロダクションが弱い
> - **No Emphasis on Key Points**
>   キーポイントの強調がない
> - **Too Much Information on Visuals**
>   ビジュアルエイドに多くの情報を詰め込みすぎる
> - **Weak Conclusion**
>   結論が弱い
> - **Weak Delivery and Poor Handling of Audience Questions**
>   話し方・伝え方がまずく、質疑応答が貧弱
>
> **Why Do These Mistakes Happen?**

私たちがお手伝いしたプレゼンテーション研修の受講者の多くは、同じ過ちを犯しています。以下のリストはその中で最も一般的なものです。プレゼンテーションを成功させるためには、こうしたミスを犯さないことが重要になります。

■ Content does not meet audience expectations
　内容が聞き手・聴衆の期待にマッチしていない

多くの人が、プレゼンテーションの準備段階で聞き手・聴衆の分析を十分に行っていません。成功するプレゼンテーションへの第一歩は、聞き手を分析し、その期待やニーズに合うようにデザインすることです。

■ **Weak introduction**
　イントロダクションが弱い

多くの場合、イントロダクションで聞き手の興味を呼び起こし、注意を引きつけることがおろそかになっています。イントロダクションでは、聞き手がプレゼンテーションを聞くことでどんな利益が得られるのかを明確にすることが大切です。

■ **No emphasis on key points**
　キーポイントの強調がない

貧弱な構成やキーポイントの強調のないプレゼンテーションは、聞き手が理解しにくく、伝えたい情報が漫然と聞き流されてしまう結果を招きます。聞き手の記憶にしっかり残るように、キー情報を強調することが重要です。

■ **Too much information on visuals**
　ビジュアルエイドに多くの情報を詰め込みすぎる

プレゼンターの多くは、1つのビジュアルエイドに多くの情報を詰め込みすぎます。それがかえって、聞き手・聴衆にキー情報が何なのかをわかりづらくしています。ビジュアルエイドは簡潔で、明快なメッセージでなくてはなりません。

■ **Weak conclusion**
　結論が弱い

多くの場合、聞き手に覚えておいてもらいたい情報が繰り返されていませんし、どんな行動を起こしてもらいたいのかを提示していません。結論の部分では、主要なメッセージを強調し、聞き手に行動を起こしてもらうことをお願いすることが重要なのです。

■ **Weak delivery and poor handling of audience questions**
　話し方・伝え方がまずく、質疑応答が貧弱

上に挙げた欠点に加え、多くの日本人プレゼンターは、効果的な話し方と質疑応答に難しさを抱えています。このことは、聞き手の注意力を低下させ、信頼度に欠けた弱々しいイメージしか残しません。効果的な話し方とは、簡潔に言えば、自信あふれる態度で、聞き手にわかりやすい大きな声でゆっくりと話すことです。さらに、適切なアイコンタクトを取り、聞き手からの質問を適確に

受け止め、明確に簡潔に答えることが重要です。

では、どうして多くの人がこうした間違いを起こすのでしょうか？

What's Behind These Poor Presentation Skills?
なぜ貧弱なプレゼンテーションになってしまうのか

- **Inexperience: Few Opportunities to Make Presentations**
  経験不足
- **Few Role Models: No One to Learn from**
  手本となるモデルが少ない
- **Unclear Expectations: What Is a Good International Presentation?**
  何が求められているのか把握していない

What Can Be Done to Overcome These Issues?

上記3つのポイントが、日本人ビジネスパーソンが言語にかかわらず、プレゼンテーションをうまくできない主な理由です。さらに「英語力のなさ」をこのリストに追加したいという方もいらっしゃるでしょうが、本書ではこの点は取り上げません。

では、これらの困難を乗り越え、グレートプレゼンターになるためには、どうしたら良いのでしょうか。本書で、それらの点についてお答えしていきたいと思います。その前に、アメリカ人の目から見た日本人のプレゼンテーションの印象を以下にご紹介します。

> "Most of the problems we have are when our local Japanese staff make presentations to the American management team. The Americans are expecting clear information, usually in a bullet-point format, with clear significance and a clear recommended course of action or decisions that

are needed. The Japanese style of presentation, however, is to give a lot of information—usually too much with no emphasis on key points—and to let the management make their own decisions based on that information.

This causes a great deal of frustration on both sides. The Americans are frustrated because they only want key information with clear significance. And the Japanese staff are frustrated because they don't understand what information the American management need, and the Japanese staff are not used to giving detailed explanations of the significance of that information—in fact, they feel it is up to the audience to interpret the information themselves. And so everyone just ends up getting frustrated."

American Training Manager, Yokohama

【訳】

［日本人スタッフが、アメリカ人マネジメントチームを相手にプレゼンテーションをする時に、多くの問題が生じています。アメリカ人側は明確な情報を求めます。通常、箇条書き風に簡潔に、重要性や取るべき行動・決定を明確に提示することを期待しているわけです。しかしながら、日本人のプレゼンテーションでは、多くの情報を盛り込みすぎています。通常、何が重要なのか強調することなしに、多くを語ろうとします。そしてその情報を基にマネジメントに意思決定を迫るのです。

このことは、双方に大きなフラストレーションをもたらすことになるのです。アメリカ人側は、キーになる明らかに重要な情報だけを求めていることから、いらだちを感じてしまいます。一方日本人側は、アメリカ人マネジメントが何を欲しているのかがわからず、また情報の重要性を詳しく説明することに慣れていないことから、イライラしてしまいます。実際のところ、日本人は情報の解釈は聞き手がやるべきことだと思っているようです。ですから、結局は全員がフラストレーションを感じてしまうわけです。］

――某外資系企業（在横浜）のアメリカ人トレーニングマネジャー（匿名）

> **How Can You Become an Effective Presenter?**
> グッドプレゼンターになるには
>
> ■ Study Presentation Writing Techniques
>   プレゼンテーションの作成技術を学ぶ
> ■ Practice Delivery Skills
>   プレゼンテーションの話し方・伝え方を練習する
> ■ Learn from Experienced Presenters
>   経験者から学ぶ
>
> **Start by Understanding How to Prepare and Deliver a Presentation**

プレゼンテーションの上達には、スキルの習得と練習、そして経験が欠かせません。本書ではこれらの点を中心に、その効果的な準備と練習の方法をステップバイステップで見ていきます。

＜本書の構成＞
本書は以下3つのセクションに分かれています。
　Section 1：「プレゼンテーションを準備する」
　　　―プレゼンテーションの準備のためのステップガイド
　Section 2：「成功のための有益情報とヒント」
　　　―プレゼンテーションの効果をさらに上げるためのヒント
　Section 3：「様々なプレゼンテーションの例」
　　　―参考になるプレゼンテーションの実例

＜本書の使い方＞
本書を効率的にお使いいただくには、Section 1から入っていただくとよいでしょう。Section 1のStep 3にあるCheckリスト（P.97～99）を活用して、あなた

のプレゼンテーションを完成してください。

　Section 2にはプレゼンテーションを成功に導くための戦略やヒントがあります。全体の構想を練る際などに活用してください。

　「状況別論理的展開についてのヒント・注意事項」では、プレゼンテーションを行う目的やシチュエーションに応じた構成の仕方や注意事項、盛り込むべき重要な事柄が紹介されていますので、ご自分のプレゼンテーションに近い例を参考にしてください。

　「難しい局面での有益なヒント・テクニック」では、よくある３つのケースを取り上げ、その対処の仕方が紹介されています。

　「文化・地域・国別の対応情報とアドバイス」では、地域別、国別のコミュニケーションの特徴とその際の話し方のヒントやコツが紹介されていますので、プレゼンテーションに応じて参考にしてください。

　Section 3には、イントロダクション、論理的展開、結論に関するいくつかの例と、完成版モデルプレゼンテーションを３例含めました。使いたい例やモデルをご自分のプレゼンテーションに採り入れるなどして活用してください。

では、効果的なプレゼンテーションを行うためのステップごとの詳細を見ていくことにしましょう。

The Great Presenter

Section 1
Preparing the Presentation
プレゼンテーションを準備する

- Step1: プレゼンテーションを分析する
- Step2: プレゼンテーションを書く
- Step3: 話し方・伝え方を練習する

Basic Presentation Structure
プレゼンテーションの基本構成

一般的に、プレゼンテーションは次の3つのパートから構成されます。

Introduction:
Begin Powerfully
[説得力ある開始]

- 聞き手・聴衆の注意を喚起する。
- 目的・ねらいを明言する。
- アジェンダ(話す項目)の発表。
- 最初のキーポイントへのつなぎ。

Body:
Present Logically
[論理的な展開]
Maintain Interest
[聞き手の注意・興味を引く]
Use Visuals
[ビジュアルエイドの活用]

- 第1のキーポイント：
  - キーポイントをサポートする詳細情報。
  - 次のポイントへのつなぎ。
- 第2のキーポイント：
  - キーポイントをサポートする詳細情報。
  - 次のポイントへのつなぎ。
- 第3のキーポイント＊：
  - キーポイントをサポートする詳細情報。
  - 結論へのつなぎ。

※キーポイントは3つ以上の場合もあります。

Conclusion:
Finish Powerfully
[説得力ある結び]

- キー情報の繰り返しと強調。
- 聞き手・聴衆への感謝の辞。
- 質問を受ける。

多くのプレゼンテーションにおける基本的な構成は上の通りです。構成そのものはさほど難しくはありませんが、重要な点は、こうしたプレゼンテーションをどのように書き、組み立てていくか、なのです。3つの目標・ねらい(理解し、覚えてもらい、行動を起こしてもらう)を達成するためには、どうしたらよいのでしょうか？　以下、詳しく見ていきましょう。

What Is the Best Method of Preparing a Presentation?
プレゼンテーション準備のための最良の方法とは

- **Step 1: Presentation Analysis**
  プレゼンテーションを分析する
- **Step 2: Write the Presentation**
  プレゼンテーションを書く
- **Step 3: Practice and Deliver**
  話し方・伝え方を練習する

A Simple Methodology That Really Does Work

効果的なプレゼンテーションを作成するための最良の方法とはどんなものでしょうか。これからお勧めする方法は読者の皆さんが無理なく自然に受け入れられるものです。これは、私たちのトレーニングでも成果がはっきりと現われており、非常に機能的です。

その方法とは、以下に挙げる3つのステップ方式です。

Step 1: Presentation Analysis
　　　　プレゼンテーションを分析する

ここで分析すべき項目は次の3点です。

　　聞き手・聴衆
　　目的・ねらい
　　内容・中身

聞き手・聴衆のニーズを分析することがなぜ大切かというと、プレゼンテーションとはまさしく彼ら、聞き手のためのものだからです。ひとたび聞き手のことが理解できれば、プレゼンテーションの目的（最終的にどういう結果を望んでいるか、どんなキー情報を覚えてもらいたいかなど）を明確にでき、また話す内容の詳細を作り上げていくことができるのです。

この分析を行うにあたっては、ホワイトボードなどを使ったブレインストーミングが効果的な方法です（詳細は、P.34〜36）。

Step 2: Write The Presentation
　　　　　プレゼンテーションを書く

ここでは、効果的なプレゼンテーションを作成するために重要な次の5つの点について見ていくことにします。

- ■Begin Powerfully［説得力ある開始］
- ■Present Logically［論理的な展開］
- ■Maintain Interest［聞き手の注意・興味を引く］
- ■Use Visuals［ビジュアルエイドの活用］
- ■Finish Powerfully［説得力ある結び］

プレゼンテーションのスクリプトをすべてノートカードに書き出すか、重要な項目だけを書くか、のどちらの方法を採るかは、英語力によって異なります。

　ところで一体、すべての字句を書き出しておく必要はあるのでしょうか？　もし、これが時間の無駄であるとお考えでしたら、Winston Churchill（ウインストン・チャーチル；1874-1965、英国の政治家・首相でノーベル文学賞受賞者）がスピーチの際、すべて一行一句まで書き出していた（実際は口述させていたと言いますが）ことは注目に値します。しかし、実際には彼はスピーチの間、それを読んでいたわけではないのです。ただ、参照する程度に使っていたのです（彼は歴史上偉大なスピーカーの1人と言われており、そのくらいのことは朝飯前と言ってしまえばそれまでですが）。

　実用的なアドバイスとしては、すべてのスクリプトを書き出すのではなく、キーポイントをまとめ、プレゼンテーションではそのキーポイントをノートカード（原稿用紙やA4ペーパーのように大きなものでなく、A6判程度のものがよい）に書き写して使うということです。こうすることで、話すべき大切なキーポイントが確実に頭に入り、プレゼンテーションを考えながら進めなくても済み、よりスムーズに行えるようになるからです。

　最終ステップでは、クリップアートを加えたり、キー情報を明確に書く、などのビジュアルエイドのデザインも終わらせるようにします（ビジュアルエイドの詳細に関しては、P.74〜84ページ参照）。

　そして、プレゼンテーションを書き終えたら、本番前の最終チェックに移ります。

Step 3: Practice and Deliver
話し方・伝え方を練習する

ここでの目的は、プレゼンテーションが望ましい形でできているかどうかを確認し、様々なプレゼンテーションテクニックをチェックすることです。例えば、

- キーポイントへのつなぎはできているか？
- 情報は、聞き手・聴衆にとっての重要性・利点を十分説明しているか？
- 各々のビジュアルエイドに伝えたいキーメッセージが入っているか？

などです（これらのテクニックについては、後で詳しく触れます）。

このような最終チェックを行うことは、プレゼンテーションの質を高め、さらに効果的なものとする上で非常に重要です（チェックリストがP.97～99にあるので参照してください）。

ここでもう1つ大切な点は、プレゼンテーションを練習することです。しかし残念なことに、多くのプレゼンターがこれをおろそかにしてしまっているのが実情です。多くの時間を準備、とりわけビジュアルエイドのデザインに当てすぎてしまい、プレゼンテーションそのものの練習はごく限られてしまうか、もしくは全く行われていないようです。

プレゼンテーションを練習することで、その中で何か問題がないか、難しさを感じることがないか、などを肌で感じ、発見できます。また、効果的にプレゼンテーションを行うことへの自信にもつながるのです。

練習の際には、以下の事柄に注意を払いながら行うようにしましょう。

- 練習の仕方
- 声
- アイコンタクト
- 話をするときの姿勢
- 話す場所

では、各ステップごとに詳しく見ていくことにしましょう。

STEP 1: Presentation Analysis
プレゼンテーションを分析する

Step 1: Presentation Analysis
プレゼンテーションを分析する

1. **Consider the Audience**
   聞き手・聴衆を分析する
2. **Define Objectives**
   目的・ねらいを明確化する
3. **Develop Content**
   内容・中身を構成する

Design the Presentation to Meet the Expectations of the Audience

プレゼンテーションを書き始める前に、誰に対して行うのか、目的は何か、そしてキーになる情報は何か、を明確に理解しておく必要があります。そのためには、以下の3つの領域、1.聞き手・聴衆の分析、2.目的の明確化、3.内容の構成、をきちんと把握・整理しておくことが重要です。

Three Areas of Presentation Analysis
プレゼンテーションの3つの分析領域

1. Consider the audience
聞き手・聴衆を分析する

聞き手・聴衆の立場からプレゼンテーションを分析しておくことは大変重要なことです。多くのプレゼンターは、発表者側にとっての利益についてのみ話してしまいがちです。聞き手にとっての重要性・利益や、聞き手が何を知りたいのかが十分に分析されていないようです。プレゼンテーションは聞き手のためのものであり、彼らのニーズに合ったものであることが必要です。ですから聞

き手・聴衆の分析から始めることが重要なのです。

2. Define objectives
目的・ねらいを明確化する

聞き手・聴衆の要求や欲求、要望などを把握することは、プレゼンテーションの目的や主メッセージを明確にするのに大変役立ちます。一般に、プレゼンテーションには「情報型」と「説得型」の2種類があります。「情報伝達型」は、例えば聞き手が知識を広げたり、技能を修得するのを手助けすることがねらいであり、「説得型」では、聞き手の考え方を変えたり、ある行動を起こさせることをねらいとします。同時に、主要なメッセージは何かということと、聞き手にどういう行動をとってほしいのかも考えておく必要があります。これについては後で詳しく触れます。

3. Develop content
内容・中身を構成する

プレゼンテーションの内容構成を向上させるには、様々なテクニックがあります。ビジュアルエイドを先にデザインしてから、論理的な順番を構成していくというやり方を好む方々がいます。これはポピュラーな方法ではありますが、プレゼンテーションの構成やメッセージに焦点を当てる代わりに、ビジュアルエイドの詳細に時間をかけすぎてしまうきらいがあります。後でホワイトボードやノートカードを使った、シンプルですが効果のある方法を紹介します。

以下、それぞれ詳細に見ていくことにしましょう。

> **Step 1:**
> **Presentation Analysis**
>
> **Consider the Audience**
> Define Objectives
> Develop Content
>
> ## 1. Consider the Audience
> ## 聞き手・聴衆を分析する
>
> ■ **Who Are They?**
> 　聞き手は誰か？
> ■ **What Is Their Level of Knowledge?**
> 　聞き手の知識のレベルは？
> ■ **What Do They Want to Learn?**
> 　何を知りたがっているか？
> ■ **How Will They Use Your Information?**
> 　情報を何に使うのか？

プレゼンテーションとは聞き手・聴衆があってのものであり、話し手のためのものではありません。そこで、以下の4つの質問を通してプレゼンテーションの分析を始めてください。《 》内は、その対応例です(詳細は、Section 2のP.131〜140を参照)。

■ **Who are they?**
聞き手は誰か？

聞き手は、
- エンジニアか、セールスパーソンか。《エンジニアであれば製品の構造上の利点を、セールスパーソンであれば製品の長所を強調する、など》
- 会社の従業員か、若手社員か中堅社員か。《若手社員であれば、彼らが興味を持つ内容を盛り込み、中堅社員であれば、内容に関して聞き手にも責任が絡む事柄などを盛り込む、など》
- 顧客か、見込客か。《顧客であれば、自社製品とサービスが首尾一貫していること、見込客であれば自社との取引による利点を強調する、など》
- 聞き手の中に、意思決定者がいるのかどうか。《意思決定者がいるのであれば、具体的な数値や統計など意思決定に必要な情報を十分に盛り込む、など》
- 聞き手は、英語のネイティブスピーカーかどうか。《ネイティブスピーカー

でなければ、難しい語句は避け、平易な言い回しを心がける、など》

■ What is their level of knowledge?
聞き手の知識のレベルは？

聞き手は、
- 自分と同じ分野の専門家か、全く知らないか。《同じ分野の専門家であれば、専門用語を使用してもよいが、そうでない場合は専門用語は避け、平易なことばを使う、など》
- 話し手である自分や会社や製品をどの程度知っているのか。《認知度が低い場合は、製品やサービスが市場や業界で優位な立場であることを述べたり、高い場合は、イメージや評判を述べる、など》

おそらく、聞き手の精通レベルはまちまちだと思います。聞き手の中には、よく精通している人もいれば、他方、新入社員もいます。この場合、それぞれのグループにとって必要かつ適切な情報を用意しなければなりません。

■ What do they want to learn?
何を知りたがっているか？

聞き手は、
- 背景的情報、すべての詳細情報のどちらを求めているのか。《背景情報であれば、これまでの推移やなぜプレゼンテーションするかをはっきりと述べ、詳細情報であれば、キーポイントとサブポイントを明確に述べる、など》
- キーポイント、詳細説明のどちらを求めているのか。《求めていることを時間内ではっきりと判りやすく説明する》

もし聞き手が、見込客である場合、あなたの会社から購入すべき理由を求めているかもしれません。もし聞き手がエンジニアである場合、技術的なスペックを求めているかもしれません。しかし、注意してください。もし聞き手がエンジニアだとしても、話し手であるあなたが話す内容が彼らの専門外だとしたら、理解してもらえるとは限りません。

■ How will they use your information?
情報を何に使うのか？

プレゼンテーションの後、
- 聞き手はどのような決定を下すのでしょうか。《新計画に関する意思決定な

のか、製品購入の決定なのか、ライセンス契約を決定するのか》
- 彼らは、ビジネスの関係を優先するのか、またはその場の取引を優先するのか。《関係優先であれば、自社との取引によるイメージ向上を訴えたり、その場の取引優先であれば、即断することが利益になることを訴える、など》
- 聞き手は、得た情報を将来の計画に使おうとするのか、または早急な意思決定に使うのか。《将来使うのであれば、今後も改善・改良情報を伝えることで関係を続ける旨訴え、早急な意思決定であれば、現在の状況・条件が極めて良いことを訴える、など》

こうした事柄を考慮しておくことが重要です。

Examples
Ex.1 Sales: New Products to Overseas Distributors
［セールス：海外販売代理店に対する新製品の発表］

［新しく開発した高性能のファクシミリシリーズを、従来から自社製品を扱っている海外代理店のサービスエンジニアやセールスエンジニアに印象づけ、海外市場での拡販をねらうためのプレゼンテーション］

① **Who are they?**
　　現在の顧客であり、様々なオフィスオートメーション製品の海外代理店。出席者の多くは、サービスエンジニアやセールスエンジニアである。

② **What is their level of knowledge?**
　　市場に現在出回っている製品やマーケットについてはよく知っており、私の会社についても熟知している。販売したい新しいファックスについてはほとんど知らない。出席するセールスエンジニアの何人かは知っているかもしれないので、追加情報を出す必要がある。

③ **What do they want to learn?**
　　価格や機能など新製品シリーズの主なセールスポイントについて。聴衆の中にはエンジニアやセールスがいるので、バランスよい情報を提供する必要がある。

④ **How will they use my information?**
　　この情報を基に、新しいファクシミリシリーズのセールス・マーケティング戦略を計画してもらう。

Ex.2 Internal: Asking for Resources to Meet a Client's Needs
[社内向け：顧客ニーズに対応するためのリソース（人員・予算）の要求]

［顧客の新計画により、自社の現状では対応できない部分があることを知ってもらい、それに対処するためのプロジェクト案の発表とリソース（人的資源・予算等）投入依頼のためのプレゼンテーション］

① **Who are they?**
戦略的な経営決定権とプロジェクトの人的資源・予算配分の権限を持った経営陣。1～2名の取締役も参加する。

② **What is their level of knowledge?**
様々な領域についての知識は持っているが、顧客の最新の変化とそれが我々のセールスに及ぼす変化については認識していない。

③ **What do they want to learn?**
顧客の新しい業務計画がどんなものか、それが我が社にどのような影響を及ぼすか、について知りたがっている。また、顧客の要求にこたえるための新しいデバイスの設計・開発とそのための人的資源・予算がなぜ必要かも知りたがっている。

④ **How will they use my information?**
新しいデバイスの設計・開発のために100万ドルを投資すべきかどうかを決定するための情報として利用する。経営陣には1週間のうちに決定してもらいたい。

Ex.3 Engineering: Presenting at an International Conference
[エンジニアリング：国際会議における技術発表]

［新しく開発した自動制御装置の性能と構造を技術者や研究者に報告する］

① **Who are they?**
会議出席者の多くは、米国の自動車産業で働く研究者、科学者それにエンジニアなどである。

② **What is their level of knowledge?**
自動車産業とその最新動向、及び市場開発についてはかなり知識がある。また、おそらくアダプティブ・クルーズコントロール・システム（順応型車間自動制御装置）の一次元レーザースキャン・レーダーの基本技術や使い方は知っているだろう。

③ **What do they want to learn?**
二次元レーザースキャン・レーダーシステムがどのように働き、従来の一次元システムと比較すると、どこが優れているか、といった最新技術の主な特徴や利点について。

④ **How will they use my information?**
この情報を将来の順応型車間自動制御装置システムや高度道路交通システムの設計・計画に役立たせる。

> **Ex.4 Internal: Personnel Director to Managers**
> ［社内向け：人事部長から経営陣へのプレゼンテーション］

［従来の海外赴任前研修を見直し、費用を削減しながら、より現状に合ったプログラムを導入し、効率的な研修を目指す］

① **Who are they?**
海外子会社の経営権を持つトップマネジメント陣。出席者は、副社長、常務、専務であり、その多くは海外赴任の経験を持つ。

② **What is their level of knowledge?**
従来の研修制度についての概略的知識は持っているが、現在の赴任前研修の現状については深く認識していない。外部研修機関についてはよく知らない。

③ **What do they want to learn?**
現在の研修制度にかかっている費用とその内容を知りたがっている。また、新提案によってどんな効果が上がるのか、今後の新計画が経営計画にどのように影響を及ぼすかも知りたいと考えている。

④ **How will they use my information?**
新しい海外赴任前研修を計画導入するために必要な資金と人材を決定するために使う。また、どの外部研修機関を利用するかを決定する際の参考に利用する。

「聞き手・聴衆の分析」が終わったら、次に目的・ねらいを明確にしていきます。次ページからそのやり方を見ていきましょう。

```
┌─────────────────────────────────────────────────┐
│  Step 1:              │ 2. Define Objectives    │
│  Presentation Analysis│    目的・ねらいを明確化する │
│                       │─────────────────────────│
│  Consider the Audience│ ■ Persuasive or Informative│
│ ┃Define Objectives ┃  │   情報伝達型か説得型か    │
│  Develop Content      │ ■ What Do You Want the Audience to Do?│
│                       │   聞き手に求めることは何か？│
│                       │ ■ My Presentation Is Successful If...│
│                       │   どういう結果が出ればプレゼンテーションが成功と言えるか│
└─────────────────────────────────────────────────┘
```

プレゼンテーションの目的・ねらいを明確にするために、次の質問に答えてみてください。

- プレゼンテーションは「情報伝達型」ですか、「説得型」ですか？
- 主たるメッセージは何ですか？
- 聞き手にどんな行動を起こしてもらいたいのですか？

では最初にプレゼンテーションのタイプから考えていきましょう。

■ Persuasive or informative
情報伝達型か説得型か

一般的に、プレゼンテーションには、**Informative**（情報伝達）を目的にしたものと、**Persuasive**（説得）を目的にしたものの2種類があります。それぞれのタイプによってアプローチの仕方も異なってきます。

　Informativeプレゼンテーションの目的は、聞き手に知識を提供したり、あるスキルを身につけてもらうことです。一般的なInformativeプレゼンテーションのトピックとしては、次のようなものが挙げられます。

> **Example Situations**
>
> 国際会議で調査結果を発表する。
> 上司への業績評価レポート。
> 製品のデモンストレーション、あるいは製品情報の説明。
> 計画や政策や手続きの説明。
> 会社についての案内、社員教育。

▼

> **Key Points**
>
> ☞ 話の概略から開始する。
> ☞ 聞き手・聴衆に関連するトピックを用意する。
> ☞ 自分のプレゼンテーションに聞き手を引き込む。

Persuasiveプレゼンテーションの目的は、聞き手に考え方を変えてもらう、あるいは行動を起こしてもらうことです。一般的なPersuasiveプレゼンテーションのトピックとしては、次のようなものが挙げられます。

> **Example Situations**
>
> セールスプレゼンテーション。
> プロジェクト資金の要求。
> マネジメントへの提言。
> マーケティング計画の発表と同意を得るための説得。

▼

> **Key Points**
>
> ☞ 聞き手のニーズにアピールする。
> ☞ 案内する製品やサービスが、いかにそのニーズを満たすかを示す。
> ☞ 聞き手が意思決定することで生じる結果の青写真を描いてみせる。

> **ヒント**
>
> ▶ プレゼンテーションのタイプはもちろんその時の状況によりますが、多くの場合は情報伝達型と説得型の折衷型であることに留意してください。

■ What do you want the audience to do?
聞き手に求めることは何か？

プレゼンテーションが「情報伝達型」か「説得型」かが決まることで、主メッセージと聞き手に起こしてもらいたい行動を検討することができます。

以下を自答してみてください。
- 主たるメッセージは何ですか？
- 聞き手に理解し、覚えておいてもらいたいことは何ですか？
- 聞き手に起こしてもらいたい行動は何ですか？

    彼らには、
    - ただ単に主メッセージを覚えておいてもらうだけ（Informative）。
    - 製品やサービスを買ってもらいたい（Persuasive）。
    - ある事柄を決定するために情報を使ってもらいたい（Combination of Informative and Persuasive）。

■ My presentation is successful if...
どういう結果が出ればプレゼンテーションが成功と言えるか

同時にこれらの質問に答える良い方法は、"My presentation is successful if...."のセンテンスを仕上げてみることです。こうすることで、プレゼンテーションの目的を明確にすることができます。以下、この用例のサンプルをいくつか提示してみます。

Examples

My Presentation is successful if....

1) the audience understands that our new technology reduces wrong target detection or target loss by 75% for adaptive cruise control systems and they contact me after the conference to discuss how they can use or license our technology.
［もし、聞き手がアダプティブ・クルーズコントロール・システム（順応型車間自動制御装置）の標的探知エラーや検出ミスを75％まで減らす私たちの新技術を理解し、会議後その技術の利用法、あるいはライセンスの方法について話し合うためにコンタクトしてきたら、このプレゼンテーションは成功したと言える。］

2) the managers understand the importance of my proposal to develop a new

chip set for our customer, and agree to allocate $1 million and 9 engineers to this project. Also, I must have their decision by Friday of this week.
［もし経営陣が、私の提案した、顧客用の新しいチップセット開発の重要性を理解して、100万ドルの予算と9人のエンジニアの投入に賛同し、かつ今週金曜日までにその決定をしてもらえるならば、このプレゼンテーションは成功したと言える。］

3) the audience fully understands all the key sales features of the new facsimile range and they feel confident about selling the new products in Australia, and they place an order.
［もし、聞き手が新しいファクシミリシリーズの主なセールスポイントを理解して、オーストラリアでのこれら新製品の販売に自信を持ち、かつ注文してくれれば、このプレゼンテーションは成功したと言える。］

4) the audience fully understands features and benefits of the new relays, and they choose my company as their supplier.
［もし、聞き手が新しいリレーの特徴と利点を完全に理解し、私たちの会社をサプライヤーとして選んでくれたら、このプレゼンテーションは成功したと言える。］

5) the audience fully understands the new computer system and how to use it for processing customer orders.
［もし、聞き手がこの新しいコンピュータシステムと顧客受注システムへのその利用法を理解してくれれば、プレゼンテーションは成功したと言える。］

6) the audience decides to use the results of my research to develop a new medicine.
［もし、聞き手が私の研究結果を基に新薬を開発することを決定してくれたら、このプレゼンテーションは成功したと言える。］

ここでいよいよ内容・中身を詰めていく段階に入ります。具体的なやり方を見ていきましょう。

```
┌─────────────────────────────────────────────────────┐
│ Step 1:                  │ 3. Develop Content       │
│ Presentation Analysis    │    内容・中身を構成する    │
│                          │                          │
│ Consider the Audience    │ ■ What Are Your Key Points and Sub │
│ Define Objectives        │   Points?                │
│ [Develop Content]        │   キーポイントとサブポイントは何か？ │
│                          │ ■ What Is the Significance and Bene- │
│                          │   fits of Your Information? │
│                          │   重要性・利点は何か？     │
│                          │ ■ Outline the Presentation Structure │
│                          │   構成を決める           │
└─────────────────────────────────────────────────────┘
```

プレゼンテーションの目的がはっきりしたら、次に内容・中身を固めていきます。まず聞き手に知ってもらいたい主たる情報を決め、それらをキーポイント、サブポイント、及び重要性・利点に分けていきます。

■ What are your key points and sub points?
キーポイントとサブポイントは何か？

キーポイントとはプレゼンテーションのトピックのことです。例えば次ページの例では、以下3つのキーポイントが示されています。

- スピード(speed)
- メモリー容量(memory capacity)
- 価格(price)

サブポイントとはキーポイントをサポートするための詳細(データ)で、なぜキーポイントに挙げた点が重要なのかを、具体例を提示して補足説明するところです。ここでは、バランスと聞き手に対して実証する意味から、1つではなく最低2つ以上のサポートデータを盛り込むようにします。

> **ヒント**
> ▶3つのキーポイントは、プレゼンテーションにとって絶好のバランスを保ちます。キーポイントが多すぎると、全体のバランスを崩してしまうことがあるので、注意してください。
> ▶1つのキーポイントには、複数の内容を盛り込まないこと。
> ▶各キーポイント間では、話のつじつまが合っており、分量的にもバランスが取れ、同じスタンスを保つように注意を払います。
> ▶キーポイントの順番・並べ方は、聞き手の知識レベルにもよりますが、一般的には聞き手に馴染みのあることや平易なことから紹介し、次いで新しい事柄や複雑な事柄に移っていくとよいでしょう。

■ What is the significance and benefits of your information?
重要性・利点は何か？

重要性・利点とは、そのプレゼンテーションが聞き手にとってなぜ有益であるかという理由です。プレゼンテーションから得た情報やその後の行動によって、聞き手・聴衆にとってどのような利益や利点・特典が生まれるか、明確に述べるところです。

> **ヒント**
> ▶もし重要性・利点が何であるかがはっきりしない場合は、**"which means that..."** という表現を使ってキーポイントを説明してみましょう（P.63～64参照）。

■ Outline the presentation structure
構成を決める

(1) How to create ideas ［アイデアをまとめるには］

キーポイント、サブポイント、重要性・利点をきちんと構成するにはいくつかの方法があります。お勧めする方法としては、キーポイントを1つ選び、ホワイトボードなどでそのキーポイントについてのブレインストーミングを行うことです。「海外販売代理店に対する新製品の発表」の場合の最初のキーポイント、「スピード」を例に取ってみましょう。

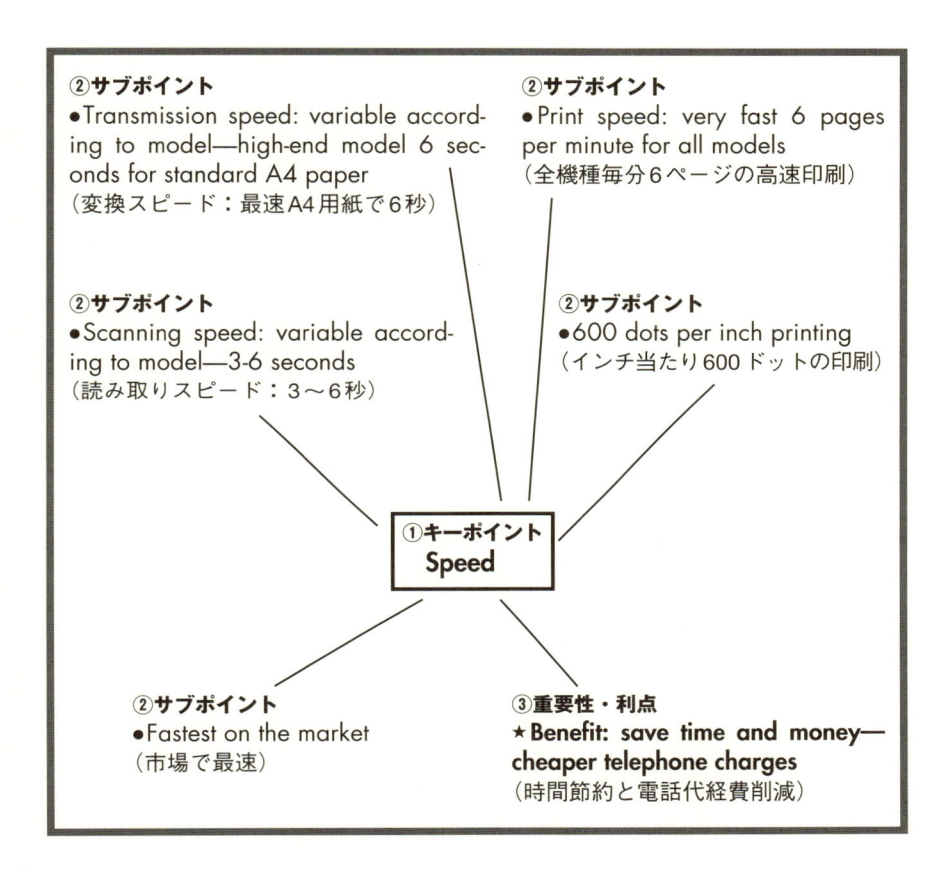

```
②サブポイント                              ②サブポイント
●Transmission speed: variable accord-      ●Print speed: very fast 6 pages
 ing to model—high-end model 6 sec-         per minute for all models
 onds for standard A4 paper                 (全機種毎分6ページの高速印刷)
 (変換スピード：最速A4用紙で6秒)


②サブポイント                              ②サブポイント
●Scanning speed: variable accord-          ●600 dots per inch printing
 ing to model—3-6 seconds                   (インチ当たり600ドットの印刷)
 (読み取りスピード：3～6秒)


                     ┌─────────────────┐
                     │ ①キーポイント   │
                     │     Speed       │
                     └─────────────────┘


②サブポイント                              ③重要性・利点
●Fastest on the market                     ★Benefit: save time and money—
 (市場で最速)                                cheaper telephone charges
                                            (時間節約と電話代経費削減)
```

構成の仕方は次の通りにするとよいでしょう。
①まず、キーポイントをホワイトボード、あるいはノートカードに書き出す。
②そのキーポイントに関連したサブポイントを加えていく。
③このキーポイントに関しての重要性・利点をはっきりと書き出しておく。

この結果、この例でのプレゼンテーション全体を書き出すと次ページのようになります。

ブレインストーミング例

「海外販売代理店に対する新製品の発表」の場合（プレゼンテーションはP.170を参照）

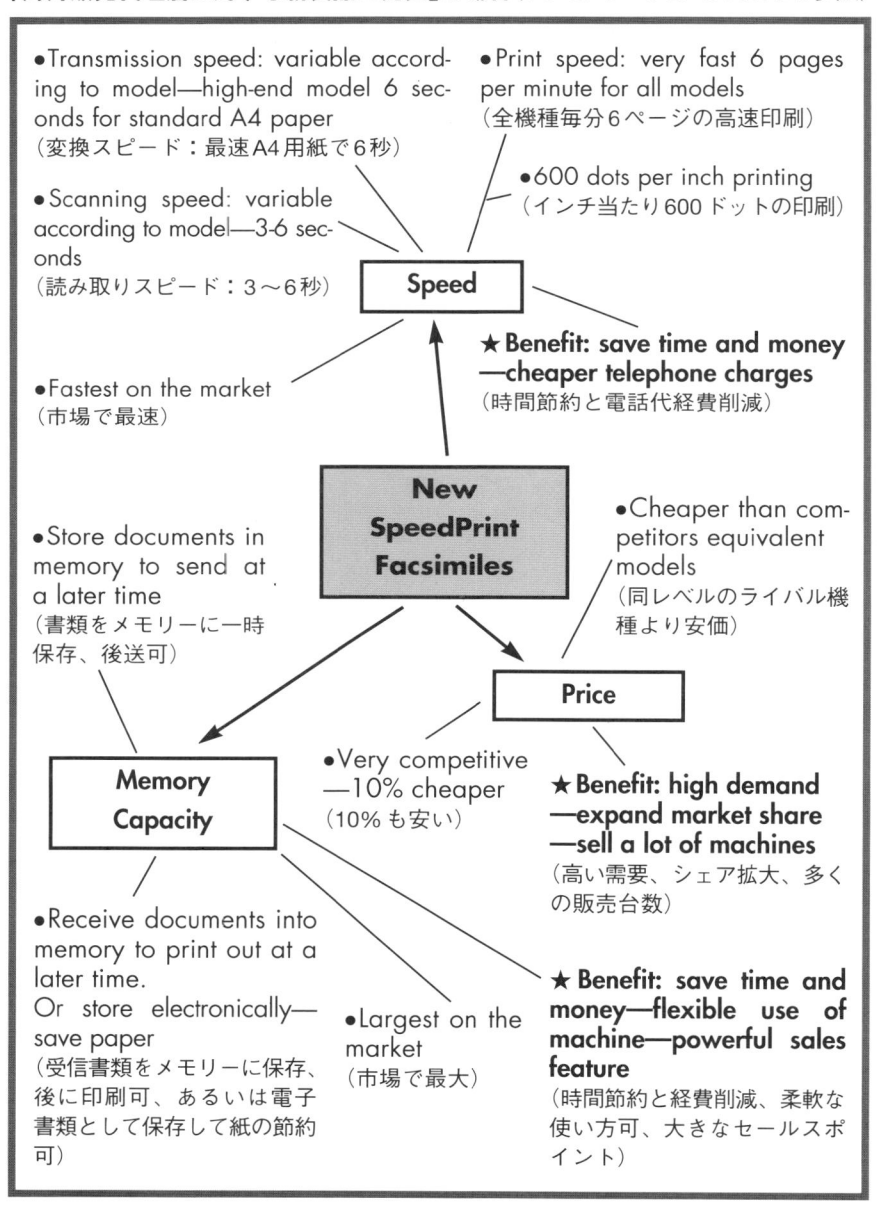

- Transmission speed: variable according to model—high-end model 6 seconds for standard A4 paper
（変換スピード：最速A4用紙で6秒）

- Scanning speed: variable according to model—3-6 seconds
（読み取りスピード：3～6秒）

- Print speed: very fast 6 pages per minute for all models
（全機種毎分6ページの高速印刷）

- 600 dots per inch printing
（インチ当たり600ドットの印刷）

Speed

★ Benefit: save time and money—cheaper telephone charges
（時間節約と電話代経費削減）

- Fastest on the market
（市場で最速）

New SpeedPrint Facsimiles

- Store documents in memory to send at a later time
（書類をメモリーに一時保存、後送可）

- Cheaper than competitors equivalent models
（同レベルのライバル機種より安価）

Price

- Very competitive—10% cheaper
（10%も安い）

Memory Capacity

★ Benefit: high demand—expand market share—sell a lot of machines
（高い需要、シェア拡大、多くの販売台数）

- Receive documents into memory to print out at a later time. Or store electronically—save paper
（受信書類をメモリーに保存、後に印刷可、あるいは電子書類として保存して紙の節約可）

- Largest on the market
（市場で最大）

★ Benefit: save time and money—flexible use of machine—powerful sales feature
（時間節約と経費削減、柔軟な使い方可、大きなセールスポイント）

36 | Section 1: プレゼンテーションを準備する

(2) Outline the presentation structure using visuals［ビジュアルエイドを使ったプレゼンテーションの構成方法］

この方法では、いきなり詳細から書き始めるより、比較的簡単にプレゼンテーションの流れがつかめ、並び替えや構成がしやすくなります。方法は次の通りです。

> まずキーポイントを選び、そのキーポイントとサブポイントを紹介するビジュアルエイドをラフスケッチする。

▼

> 各キーポイントごとに作業を繰り返す。

▼

> イントロダクションと結論部分のビジュアルエイドを作成する。

▼

> 一度プレゼンテーションを通して話してみて、最初に組み立てたものがしっくりこない場合は、もう一度並び替えをしてみる。

▼

> 最終的なビジュアルエイドとプレゼンテーションスクリプトの詳細を仕上げる。

次ページでは、この流れを例を使って組み立ててみます。

1) 各キーポイントごとにビジュアルを作る

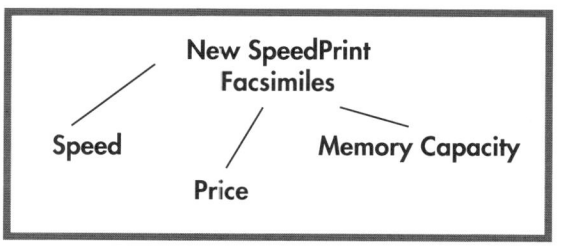

```
            New SpeedPrint
              Facsimiles
       /        /        \
    Speed              Memory Capacity
               Price
```

ブレインストーミングを行う

▼

Speed: Fastest on Market

	Scan (sec/A4)	Transmit (sec/A4)	Print (A4/min)
Nishida	5	8	4
Suzaka	6	7	5
Kadota	**3**	**6**	**6**

Benefit: Save Money and Time

この情報を見せるための基本ビジュアル作成から始める

▼

Memory: Largest on Market

(MB)

	Standard	Maximum
Nishida	0.5	6
Suzaka	1	7
Kadota	**1**	**9**

Benefit: Powerful Sales Feature

各キーポイントごとにビジュアルを作り、論理的順番に並べる

2) 各ビジュアルを論理的に並べる

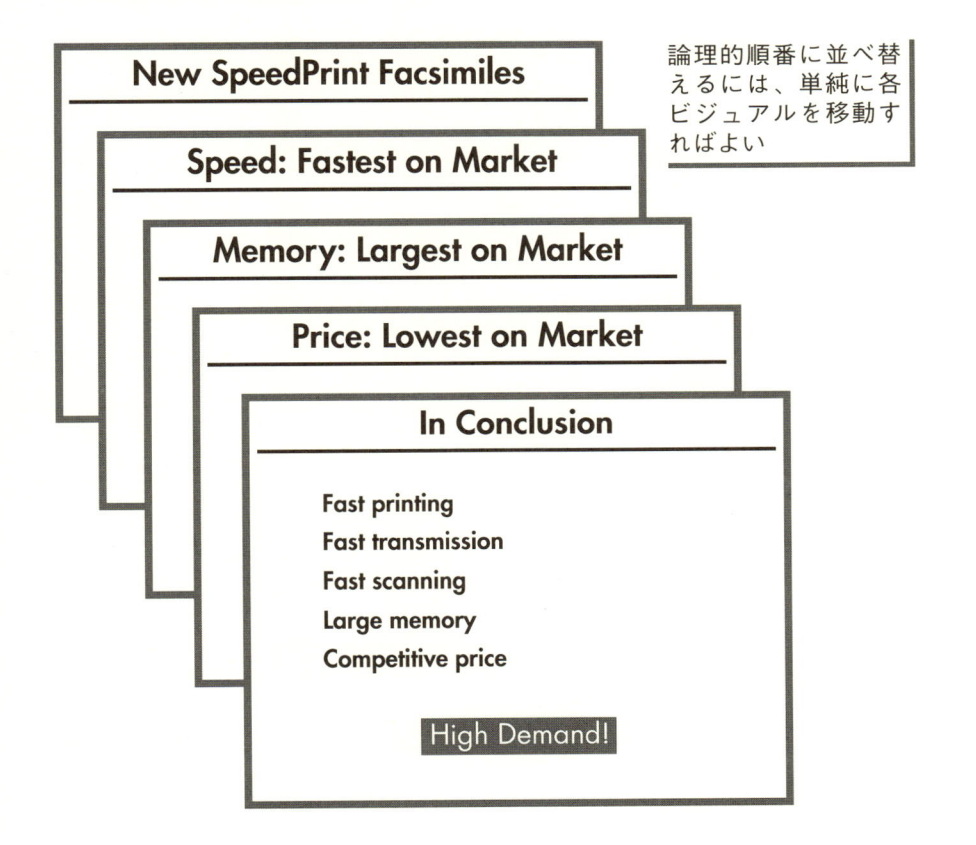

New SpeedPrint Facsimiles

Speed: Fastest on Market

Memory: Largest on Market

Price: Lowest on Market

In Conclusion

Fast printing
Fast transmission
Fast scanning
Large memory
Competitive price

High Demand!

論理的順番に並べ替えるには、単純に各ビジュアルを移動すればよい

＜注意＞
この段階では各ビジュアルはあまり詳しくしないこと。プレゼンテーションの概要のみにしておき、後で詳細を仕上げていきます（P.76〜78参照）。
　次にプレゼンテーションの流れを確認後、スクリプトの詳細を書き出していきます。

ヒント
▶ もし、ビジュアルを使用しない場合は、ノートカードを用いてこの方法が使えます。ビジュアルをデザインする代わりにキーポイントをノートカードに書き出してやってみてもよいでしょう。

STEP 2　Write the Presentation
プレゼンテーションを書く

Step 2: Write the Presentation
プレゼンテーションを書く

1. **Begin Powerfully**
   説得力ある開始
2. **Present Logically**
   論理的な展開
3. **Maintain Interest**
   聞き手の注意・興味を引く
4. **Use Visuals**
   ビジュアルエイドの活用
5. **Finish Powerfully**
   説得力ある結び

Make Your Presentation Powerful and Effective

プレゼンテーションの詳細を作る良い方法は、自分でこれなら大丈夫と思えるまで、何回も繰り返して話してみることです。そして満足がいったら、書き出していくのです。

　以下の質問に答えてみてください。
- 全体を通したイメージが良いか？
- 順番は論理的になっているか？
- 聞き手・聴衆が理解しやすいか？

良いと思えるまで、必要情報を加え、不必要なものは削るようにします。

スクリプトの作成の際は、上に挙げた5つの領域に焦点を合て、効果的に組み立てることが大切です。

Basic Presentation Structure
プレゼンテーションの基本構成

効果的なプレゼンテーションは、次のように構成されます。

Introduction:
Begin Powerfully
[説得力ある開始]

Body:
Present Logically
[論理的な展開]

Maintain Interest
[聞き手の注意・興味を引く]

Use Visuals
[ビジュアルエイドの活用]

Conclusion:
Finish Powerfully
[説得力ある結び]

1. Begin Powerfully: 説得力ある開始
聞き手・聴衆の注意を引き、興味をそそるように話し始めます。

2. Present Logically: 論理的な展開
聞き手が理解しやすいよう、情報を論理的に発表しましょう。

3. Maintain Interest: 聞き手の注意・興味を引く
確実に聞いてもらえるよう、聞き手の興味と集中力を持続するように努めましょう。

4. Use Visuals: ビジュアルエイドの活用
聞き手・聴衆が理解しやすく、情報を記憶しやすくするために、シンプルで見やすいビジュアルエイドを用意します。

5. Finish Powerfully: 説得力ある結び
聞き手がどのような行動を起こせばよいのか、あなたの情報をどのように利用できるかがわかるよう、説得力ある終わり方をしましょう。

さて、ここで当然のごとく、最大の関心事として次のような質問が出てきます。読者の皆さんはどう答えるでしょう。自問自答してみてください。

- 各パートではどんなことを話したらよいか？
- イントロダクションでは、どんなキー表現を使ったら有効なのか？
- 情報を論理的に話すにはどのようにしたらよいか？
- 聞き手の興味を誘うにはどんな方法がよいか？
- 最も効果的にビジュアルエイドをデザインし、活用するにはどのようにしたらよいか？
- 結論ではどのように構成したらよいか？

次のページより、これらの質問に答えていきます。ここからは、プレゼンテーションを成功させるために、上記のポイントを効果的に組み立て、作成していくための様々なテクニックを見ていきます。サンプル表現も多く取り入れてありますので、参考にしてください。

では、Begin Powerfully［説得力ある開始］から始めましょう。

```
┌─────────────────────────────────────────────────────┐
│  Step 2:                 1. Begin Powerfully        │
│  Write the Presentation     説得力ある開始            │
│                          ─────────────────────────   │
│  Begin Powerfully        ■ Background Information   │
│  Present Logically          背景情報                  │
│  Maintain Interest       ■ Presentation Objectives  │
│  Use Visuals                プレゼンテーションのねらい │
│  Finish Powerfully       ■ Reason to Listen         │
│                             聞く理由づけ              │
│                                                     │
│                          ┌─────────────────────────┐│
│                          │ Get the Interest and    ││
│                          │ Attention of the Audience││
│                          └─────────────────────────┘│
└─────────────────────────────────────────────────────┘
```

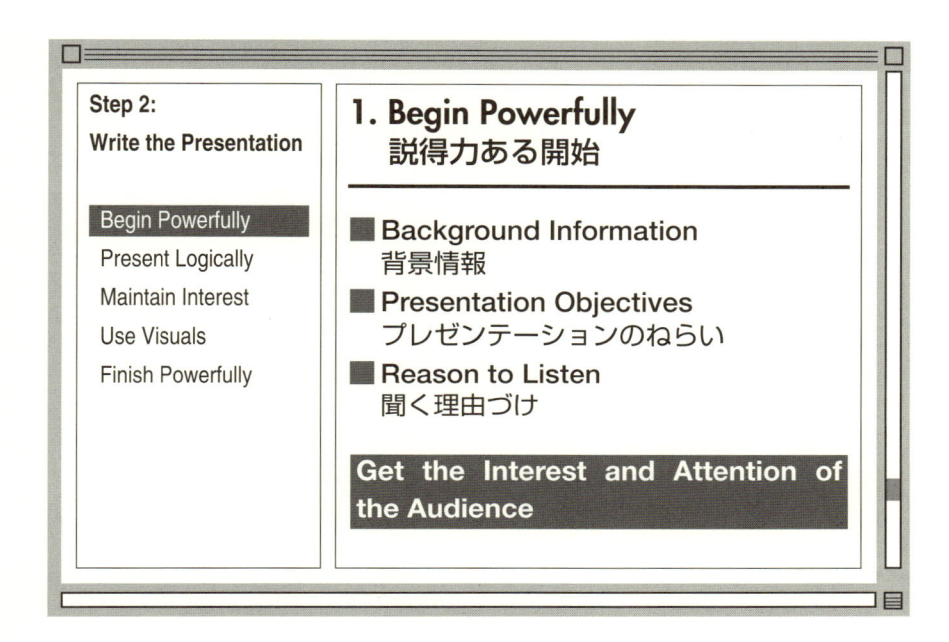

How to Begin Powerfully
説得力ある始め方

　イントロダクション(話の切り出し)は、聞き手・聴衆の注意と関心を引き、プレゼンテーションを聞いてもらうよう導く部分です。良いイントロダクションは、プレゼンテーションを上手に"セットアップ(立ち上げ)"し、プレゼンテーションの目標を達成することにつながります。稚拙なイントロダクションは、聞き手に対して混乱を与え、そのプレゼンテーションに対して聞く耳を持たなくさせてしまうため、大変重要なパートと言えます。

　イントロダクションでは上記に掲げた情報を網羅し、はっきりと述べることが大切です。

基本的な流れ

Background Information
［背景情報］
聞き手・聴衆は、話し手やその所属組織をよく知っている人から、あまり知らない人まで様々です。従って、適切な背景情報を提供するようにしてください。

Presentation Objectives
［目的・内容説明］
ここでは、プレゼンテーションの目的・内容の概略を簡潔明瞭に伝えます。この部分をできるだけはっきりと話すように心がけましょう。

Reason to Listen
［聞く理由づけ］
イントロダクションで、聞き手が得た情報をどのように活用できるか、その情報がどうして重要なのか、そのプレゼンテーションを聞いて何が得なのかなどについて知らせるようにします。

まず、不十分なイントロダクションと適切なイントロダクションの例を見てみます。

(1) イントロダクションが不十分な例

Sales: New Products to Overseas Distributors
［セールス：海外販売代理店に対する新製品の発表］

"Good morning everybody, I am glad to be here today.
Today I am going to introduce our new range of facsimile models. There are three models in this new range.
These models are fast and they have enough memory capacity, and their price is cheaper than our competitors.
Now let's look at speed."

【訳】
［皆さん、おはようございます。今日ここに来られたことをうれしく思っております。本日、私はファクシミリの新シリーズをご紹介いたします。新製品に

は3つのモデルがあります。
　これらの新製品は高速で、十分なメモリー容量を持ち、値段も他社製品と比べ安価です。
　それでは、スピードについて見てみましょう。]

【不十分な理由】
- 背景となる説明がなく、いきなり本論に入っている。
- プレゼンテーションのねらいや目的が述べられていない。
- 聞き手がこのプレゼンテーションを聞くことによる意義や利点の説明がない。
- プレゼンテーションの全体構成の提示やアジェンダがない。

(2) 説得力ある力強いイントロダクション

Ex.1 Sales: New Products to Overseas Distributors
◎ 02 [セールス：海外販売代理店に対する新製品の発表]

Background Information
[背景説明]

"**Good morning everybody,** it's nice to be here in Australia and to see you all again. **As you already know,** last week Kadota launched our new range of SpeedPrint plain paper facsimiles in Japan, and from next month we will begin selling these products on a worldwide basis. There are three models in the new range: the KT-100, the KT-105 and the KT-110.

Presentation Objectives
[目的説明]

And the reason I'm here today is to introduce these new models to you and to show you how these facsimiles are better than the competition in both performance and price.

Presentation Contents
[内容説明]

In particular I am going to talk about the three key sales features of the SpeedPrint range. These are:
Speed—they are faster than the competition. Memory capacity—they have the highest capacity of any models on the market. And price—the SpeedPrint range is 10%

Step 2: プレゼンテーションを書く | **45**

cheaper than our main competitors.

Reason to Listen
[聞く理由づけ]

By the end of my presentation I hope you will have enough information about the new range to understand what we mean by world beating performance and world beating prices. And I hope that you will see how the new facsimiles will enable you to beat the competition and to increase your market share throughout Australia.

＊Transition to First Key Point
[つなぎ]

Let's start by looking at speed."

注) 文中の太字は、よく使われる有用表現。
＊つなぎについては、P.58を参照。

ヒント

▶ アジェンダをホワイトボードに書き、プレゼンテーションの間、見せておく。話のつなぎや、聞き手の注意を引きつけておくのに役立ちます。

Agenda
- Speed: Faster than the competition
- Memory Capacity: Largest on market
- Price: 10% cheaper than the competition

【訳】

[皆さん、おはようございます。ここオーストラリアで皆さんに再会できましたことをうれしく思っております。ご存じのように、先週、カドタは、普通紙用ファクシミリSpeedPrintの新シリーズを日本で発売しました。そして来月から全世界でこれらの製品の販売を開始します。新製品には3つのモデルがあります。KT-100、KT-105 そして KT-110 です。

　本日ここに参りました理由は、この3つのモデルをご紹介し、他社製品と比べ、性能と価格の両面で、いかに当社のファクシミリが優れているか、ご説明するためです。

　特に、SpeedPrintシリーズの3つのセールスポイントについてお話ししたいと思います。この3つのポイントとは、まずスピードにおいて、他社製品を上回ります。次にメモリー容量では、市場では最大のメモリー容量を誇ります。そして最後に価格です。このSpeedPrintシリーズは、他社の主要製品に比べ、

価格が10%も安くなっています。

　プレゼンテーションの終わりには、皆様にこのシリーズについて十分にご理解いただき、私たちがなぜ、ずば抜けた性能と価格の安さを誇っているかをおわかりいただきたいと思います。そして、この新しいファクシミリシリーズによって、どのようにして他社との競争に勝ち、オーストラリア全土でマーケットシェアを拡大できるかがおわかりいただけるものと願っております。

　では、スピードの面から見ていきましょう。]

Ex.2 Internal: Asking for Resources to Meet a Client's Needs
03 [社内向け：顧客ニーズに対応するためのリソース（人員・予算）の要求]

Background Information [背景説明]

"Good afternoon everyone, and thank you for coming. **As some of you already know,** yesterday I had lunch with Mr. Tanaka, the Director of Product Development at the Kadota Corporation, our most important customer for GSM chips. **He told me some surprising and rather shocking news.** That is, Kadota have a new business plan for the year 2002. Basically speaking, they are changing direction.

Presentation Objectives [目的説明]

So in my presentation today, I would like to describe the new direction that Kadota are taking, and **I would also like to explain how this presents us with both a problem and an opportunity. I will also be asking for your approval** for the resources my team needs to be able to grasp this new opportunity, and to be chosen as the key supplier to meet Kadota's new business plan.

Presentation Contents [内容説明]

I'll start by explaining exactly how Kadota are changing direction. **Next I'll explain** why this presents us with a problem, and why this problem also presents us with an opportunity. **Then I will give you** my proposal to meet Kadota's requirements, **and finally** I'll detail the resources that we need.

Reason to Listen
[聞く理由づけ]

By the end of my presentation I hope that you'll agree that for an investment of $1 million we can achieve sales of $150 million.

Transition to First Key Point
[つなぎ]

Before I start, do you have any questions? OK, then let's start by looking at how Kadota are changing direction."

【訳】

[皆様、こんにちは。ご出席ありがとうございます。皆様の中で何人かの方はすでにご存じのように、私は昨日、我が社のGSMチップの最重要顧客であるカドタ・コーポレーションの製品開発部長、田中氏と会食して参りました。田中氏から驚くべき、ショッキングなニュースを聞かされました。と申しますのは、カドタは2002年に向けて、新しい事業計画を打ち立てたというのです。つまり、カドタは方向転換を図るということです。

つきましては、本日のプレゼンテーションでは、カドタの新しい方向性を報告し、これが我が社にとってどんな問題と、またチャンスをもたらすかをご説明したいと思います。この新たな好機を逃すことなく、カドタの新事業計画に沿ったキーサプライヤーとして選ばれるために、私のチームに必要な人的資源、予算等のリソースについてのご承諾もお願いいたします。

まずカドタの方向転換についてご説明します。次に、これがなぜ我が社にとって問題なのか、またなぜこの問題が我が社に新たなチャンスをもたらすことになるのかを説明します。その後、カドタからの要求に対する提案を、そして最後に我が社に必要となるリソースについて詳細に説明します。

このプレゼンテーションの終わりには、100万ドルの投資が1億5,000万ドルの売り上げにつながることに同意していただくことを願っております。

始める前に何かご質問はありますか？　それでは、カドタがどのような方向転換を図っているのかを見ていきましょう。]

説得力あるイントロダクション：その他の例

1) Presenting a New Manufacturing Technique

"**I'm here to present** our research into DRAM manufacturing techniques **and to ask** you for funds to continue this research. **There are two fundamental reasons** for continuing to fund this project. The first is that we believe that we may be able to find a way to increase the speed of manufacturing DRAMs without increasing costs. And the second reason is that we believe our competitors may be ahead of us in this area."

■新製造技術のプレゼンテーション

[DRAM製造技術についての研究の**説明**と、この研究の継続のための資金援助の**お願いに参りました**。このプロジェクトを継続すべき**重要な理由が、2つあ**ります。第1の理由は、コストの増加なしにDRAM製造をスピードアップする方法を見つけることができるかもしれないということ。第2の理由は、競合他社が、この分野で先行している可能性があるということです。]

2) Presenting a Performance Evaluation

"**In my presentation today, I'm going to report** on the performance of the DRAM Sales and Marketing Division for first quarter 1999. **As a brief summary of** that period, we were in fact 20% below our sales target. And in my presentation I would like to describe what happened during that time and to explain the reasons why we were so far below our target. I will then show you how we plan to correct this shortfall and to get back on target for the second quarter. Before I begin, do you have any questions or is there anything else that you would like to know during my presentation?"

■業績評価に関する発表

[**本日は**、DRAMセールス・マーケティング部門の1999年度第1四半期の業績について**ご報告いたします**。当期を**手短に要約すると**、売り上げ目標を20%下回りました。そして、この報告では、当該期間に起こったことの概略、売り上げがこれほど下回った理由をご説明いたします。次に、その欠損分を取り戻し、第2四半期で目標を再び達成するための案についてお話しします。始めます前に、何かご質問はありますか？　また、私のプレゼンテーションでお知りになりたい点がありますでしょうか？]

3) A Sales Presentation: Showing You Understand the Customer's Needs
"**I would like to start by** confirming my understanding of what you are looking for from a laser printer. According to the letter that you sent last week, you have three requirements. They are speed, quality and good price. To be more precise, I understand that you need to be able to print at eight pages per minute, with a resolution of 600 dots per inch, and a price of under $2,300. Is that right? Did I understand correctly?"

■セールスプレゼンテーション：顧客のニーズを理解していることを伝える
［御社がレーザープリンターに求めていらっしゃることを私がどのように理解しているのか、確認すること**から始めさせていただきます**。先週受け取りました御社からのレターによりますと、スピード、質、安価という3つのご要望がおありとのことです。もう少し詳しく申しますと、毎分8枚の印刷ができること、解像度が600dpiであること、価格が2,300ドル以下であること、でした。それで間違いございませんか？］

4) Introducing a New Product
"Good morning ladies and gentlemen. My name is Shinichi Watanabe from Kadota. I am responsible for the sales and distribution of DRAMs. **Today I am going to introduce** our new low cost, high performance 64 MB DRAMs **and show you how** our new devices can greatly increase the speed of your memory systems whilst reducing your costs."

■新商品の紹介
［皆さん、おはようございます。私はカドタから参りました渡辺信一です。DRAMの販売流通を担当しております。**本日は**、低価格で高性能の新しい64MB DRAMを**ご紹介し**、当社の新しいデバイスが、コスト削減を図りながら、メモリーシステムのスピードを**いかに**飛躍的に向上させるかを**ご説明します**。］

5) Presenting a New Material
"Good afternoon gentlemen. My name is Isao Aoki. For the past five years Dr. Bond and I have been working together to develop a new plastic resin that is suitable for high temperature application. **In my presentation today I will present** the astonishing results of our work and the impact we expect the results to have on your jobs as design engineers."

■新素材の紹介
[皆様、こんにちは。私は青木 勲です。過去5年間、ボンド博士と私は、高温下での利用に適した新しいプラスチック樹脂の開発に共同で取り組んできました。**本日は**、私たちの目覚ましい研究成果と、それが設計者としての皆様のお仕事に与える影響について**お話ししたいと思います。**]

Other Techniques for Beginning Powerfully
説得力ある開始：その他のテクニック

ここまでで、力強く開始するためのいくつかの例を見てきました。次に、さらに有用な応用テクニックを見ていきましょう。

(1)Using Combinations ［理由づけを織り込む］
より説得力のあるイントロダクションにするためには、プレゼンテーションの目的を述べる際に、聴衆に「これは聞きたい、聞くべきだ」と思わせるポイントを組み入れると効果的です。

Examples

1)"**The Information I will give you today** will help you to save 10% of your computer operating costs."
[私が今日、これからお話しするのは、コンピュータの運用コストを10%削減するのに役立つことです。]

2)"**In my presentation today** I am going to show you how our ATM software will increase the speed of customer transactions by 22%."
[本日のプレゼンテーションでは、私たちのATMソフトウエアが、どのように顧客処理のスピードを22％も向上させられるかについてお話しいたします。]

(2)Asking Questions ［質問］
質問をすることは、聞き手・聴衆の注意を引くための良い手法です。質問には2種類あります。1つは、相手から回答を得るためのもの。もう1つは、相手に回答を求めないものです。
　次ページに、その用例を挙げます。

> **Examples**

1) When You Don't Want an Answer ［相手に回答を求めない場合］
"As a designer, **I would like to ask you** whether you are satisfied with conventional memory when you design image processing systems? If you are one of those who find that DRAM has limitations for your specific requirements, then I'm sure that what I have to say today will be of great interest to you."
［設計者として、皆様が画像処理システムを設計する時、従来のメモリーで満足しているか否かを**おたずねしたいのです**。もし、皆様の具体的な要求に対してDRAMには限界があるとお感じでしたら、本日私がお話しすることに興味を持っていただけるものと確信いたします。］

2) When You Want an Answer ［相手から回答を得る場合］
"Good morning everybody, and thank you for holding this product development meeting. **I would like to start my presentation by asking** you to name the top ten manufacturers in our marketplace."
［皆様、おはようございます。また、製品開発会議の開催をありがとうございます。まず**プレゼンテーションを始めるにあたり質問したいのですが**、私どもの市場における製造業者のトップテンを挙げていただけますか？］

(3) Being Dramatic ［心を動かす表現］

ドラマチックであるということは、簡単に言えば、聞き手・聴衆に驚きを与える表現を盛り込むことです。それは突拍子もない英語を使うとか、変な英語を使うという意味ではありません。ドラマチックであるとは、聞き手の心を動かす表現を用いるということです。

> **Example**

"Ladies and gentlemen. Did you know that the Kadota Electronics memory plant in Tsukuba will close in two months time? Do you know the reason why? The answer is simple. Sales of Kadota DRAM chips have gone down by 85%, and because of this the Tsukuba plant is now operating at only 20% of its capacity."
［皆さん、カドタ・エレクトロニクスの筑波にあるメモリー工場が、向こう2カ月の間に閉鎖になるということを知っていましたか？　その理由をご存じですか？　答えは簡単です。カドタ電機のDRAMチップの売り上げが85％も落ち込

み、いまでは筑波工場の操業も全生産能力の20％しか稼動していない状況だからです。]

(4)Using Humor［ユーモア］

ユーモアは、イントロダクションでは大変効果的なツールとなりますが、使う際には、その場にふさわしい適切な題材と使い方に注意することが必要です。長いジョークは避けてください。ユーモアやジョークは短く使ってこそ、その価値が現れます。

　しかし、英語でのユーモアやジョークは、文化的背景などの違いから必ずしもユーモアとして受け取ってもらえなかったり、理解してもらえなかったりすることがあるので、よほど英語力があり、ユーモアを使い慣れている、という場合以外は、無理をして使わない方がよいでしょう。

Examples

1) "Speaking in English to a mixed audience such as this makes me wonder if I should apologize or tell a joke. So I think I'll apologize for not telling a joke!"
［今回のように、色々な人々を前に英語で話す時、まずあやまることから入ったらよいのか、それともジョークから入ったらよいのか考えさせられます。ですから、ジョークを言わない、ということをおわびしておきたいと思います。]

2) "Ladies and gentlemen, my memory is excellent. There are only three things I can't recollect. I can't remember names. I can't remember faces, and I can't remember what the third thing is."
［皆さん、私の記憶力は抜群です。ただ3つだけ思い出せないものがあるだけです。名前が覚えられません。顔が覚えられません。それから3つ目が何であるか思い出せないのです。]

説得力あるイントロダクションを作るために忘れてならないことは、イントロダクションでは、聞き手・聴衆の注意を引きつけ、聞きたいと思わせることが大切である、ということです。ですから、プレゼンテーションの目的・ねらい、聞き手に内容を聞きたいと思わせる必要性、そして適切な背景情報をはっきりと伝えることが重要なのです。

　次ページにその他の表現サンプルを挙げましたので参考にしてください。

Example Phrases

1) **"I'm here today to talk about** our new SpeedPrint range of facsimiles, which we have just launched in Japan and will soon be selling in Australia."
[**本日は**、私どものファクシミリの新シリーズ、SpeedPrintの**ご案内に参りました**。このシリーズは、当社が日本で発売したばかりのもので、近々、オーストラリアでも販売する予定です。]

2) **"The reason I'm here today is** to introduce the results of our research to you."
[**本日は**、当社における研究の成果をお伝えする目的で**やって参りました**。]

3) **"The first part of my presentation will cover** last year's sales, and the second part will focus on this year's prospects."
[**私のプレゼンテーションの初めのパートでは**、昨年のセールス**について述べ**、そして2番目のパートでは、今年度の見通しに焦点を当てたいと思います。]

4) "I have divided my presentation into three parts. **First** I'll review the current situation.... **Second** I'll look at how our method.... **And finally** I'll show you how..."
[私のプレゼンテーションを3つのパートに分けました。**初めに**現状を振り返り……、**次に**私どもの方法について触れ……、**最後に**どのように……かを示したい思います。]

5) **"I would like to start my presentation by introducing** what we believe to be the characteristics of an ideal office laser printer."
[私たちが考える理想的なオフィス用レーザープリンターの特徴を**お話しすることから**、私のプレゼンテーションを**始めたいと思います**。]

6) **"So today I would like to show you** how our TX-101 laser printer meets the above requirements for the ideal office laser printer."
[そこで**本日は**、当社のレーザープリンターTX-101が、先ほど触れました理想的なオフィス用レーザープリンターに求められる条件を、いかに満たすか**についてお話ししたいと思います**。]

7) "**The reason I'm here today is to** introduce these new models to you and show you how these facsimiles are better than the competition in both performance and price. In particular I am going to talk about the four key sales features of the SpeedPrint range."
[本日、お訪ねしましたのは、ファクシミリの新型モデルをご案内するとともに、これらのファクシミリが性能と価格の両面で、競合製品より優れていることをお伝えする**ためです**。特に、SpeedPrintシリーズの4つのセールスポイントについて、お話しさせていただきます。]

8) "My name is Isao Sasaki from Kadota Electronics in Japan. **In my presentation today, I would like to talk about** a new process for semiconductor device integration."
[私は、日本のカドタ・エレクトロニクスからやって参りました佐々木功と申します。**本日のプレゼンテーションでは**、セミコンダクター・ディバイス・インテグレーションのための新しいプロセス**について**お話ししたいと思います。]

9) "**The reason I'm here today is to** show you our latest product."
[本日は、私どもの新製品のご紹介で**参りました**。]

10) "**I am here today to talk about** our sales plan for the next twelve months."
[本日は、私どもの次年度の販売計画についてお話しいたします。]

11) "**In my presentation today I am going to talk about** a new method of building houses."
[本日のプレゼンテーションでは、住宅建築の新工法について、お話ししようと思います。]

12) "**First**, I'll give some background information regarding my company. **Second**, I'll talk about the market situation as we see it. **And finally** I'll introduce our Optical MOS relays to you and give you the reasons why we believe you should consider distributing this product."
[まず初めに、当社について知っていただき、それから私どもが見るマーケッ

ト状況についてお話しします。**最後に**当社のオプティカルMOSリレーをご紹介し、この製品を取り扱っていただきたい理由を説明いたします。]

13) "**I'll start by reviewing** the situation **and then move on to** a full analysis of the problem."
[問題に関する状況を**再検討する**ことから**始め**、それから問題の分析**に移ります**。]

14) "**In my presentation today I would like to review** the performance of Iso-Sports, our top selling isotonic drink."
[**本日は**、売り上げトップを誇る我が社のアイソトニック飲料、Iso-Sportsの実績を**検討したいと思います**。]

15) "**I'm going to show you** why our section believes that the current marketing and product strategy is severely limiting our competitiveness in world markets."
[私どもの部署が、なぜ現在のマーケティング戦略や製品戦略では国際市場での競争力に限界があると見ているのかをご**説明したいと思います**。]

16) "**The information I will give you today** will enable you to develop a new method of fighting cancer."
[**本日お伝えする情報**によって、がんに打ち勝つための新しい方法を皆様が開発することが可能になるでしょう。]

17) "**In my presentation today I am going to show you** how our ATM software will increase the speed of customer transactions by 20 %."
[**本日は**、私たちのATMソフトウエアがどのようにして顧客処理スピードを20%も向上できるか、**についてお話しするつもりです**。]

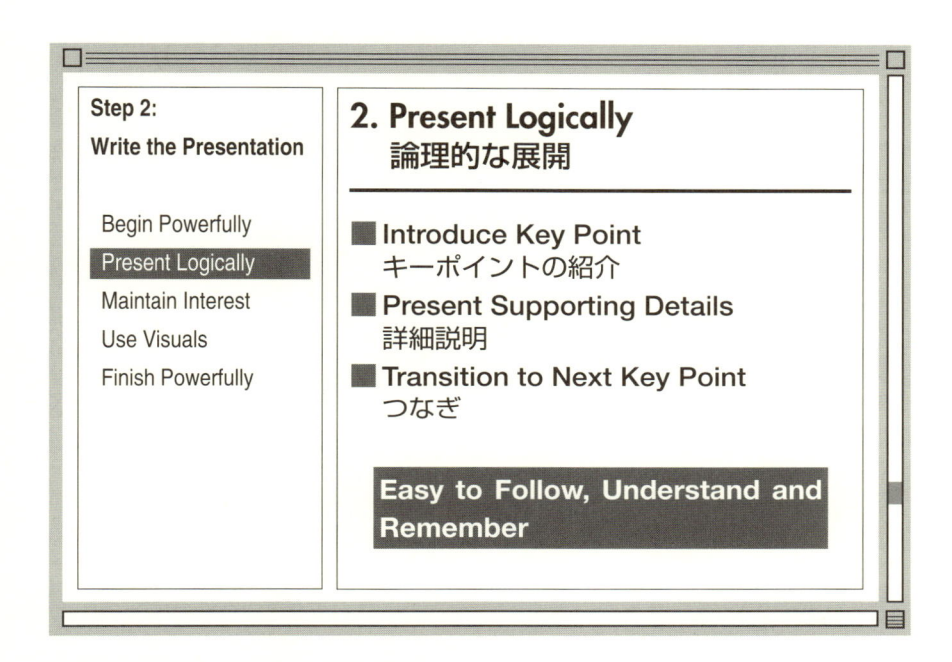

```
Step 2:                    2. Present Logically
Write the Presentation     論理的な展開

Begin Powerfully           ■ Introduce Key Point
Present Logically            キーポイントの紹介
Maintain Interest          ■ Present Supporting Details
Use Visuals                  詳細説明
Finish Powerfully          ■ Transition to Next Key Point
                             つなぎ

                           Easy to Follow, Understand and
                           Remember
```

How to Present Logically
論理的な展開の仕方

次に、発表する情報を、聞き手・聴衆が容易に理解できるように話すにはどうしたよいか見ていきましょう。

そのためには、次のページにあるようなロジカルな流れに沿って各メインポイントを述べることです。それぞれのキーポイント／トピックでは、まず主題を述べ、次いでその主題をサポートする詳しい説明を行い、そして次のキーポイントに移る前に、そのキーポイントのまとめをしてください。プレゼンテーションを通して、このプロセスを継続的に繰り返します。まさに、このボディそのものが、イントロダクション（起承）、ボディ（展開）、コンクルージョン（結論）といったプロセスの良い例となっているのです。

基本的な流れ

Introduce Key Point
［キーポイント／トピックの紹介］
キーポイント／トピックの要約を伝えるには短い表現を使いましょう。前のキーポイントから次に移る時に、「つなぎ表現」を使うようにします。

Present Supporting Details
［詳細説明］
キーポイントをサポートする重要な情報を十分に説明しましょう。ただし、情報が少なすぎたり、多すぎたりしないように注意してください。適切な情報量の判断は、プレゼンテーションの事前分析にかかっています。

Transition to Next Key Point
［つなぎ］
重要な情報を強調するために、つなぎを用いましょう。そして1つのキーポイントから次へ移ります。つなぎとは、「架け橋」のようなもので、自分の話の方向に聞き手がついてこられるよう手助けするものです。

以下、論理的展開の不十分な例と良い例を見てみます。

(1) 論理的展開が不十分な例

Sales: New Products to Overseas Distributors
［セールス：海外販売代理店に対する新製品の発表］

"All models in the SpeedPrint range are fast.
As you can see from this chart, the SpeedPrint range has the highest performance in these three areas.
If you want, I will give you details of these figures after my presentation.
Anyway, the SpeedPrint faxes are faster than the competition.
OK, next is the...."

【訳】
[SpeedPrintシリーズのすべてのモデルは速さを誇ります。
　チャートからおわかりのように、SpeedPrintシリーズはこれらの3つの領域で高い性能を持っています。
　必要でしたら、プレゼンテーション終了後にこれらの数値の詳細を差し上げたいと思います。
　いずれにせよ、SpeedPrintファクシミリは他の競合製品よりも高速です。
　それでは、次は……]

【不十分な理由】
- キーポイントについての紹介がない。
- 十分な補足説明がない。
- ビジュアルエイドの説明がない。
- 聞き手にとってどんな利点があるかについて説明がない。

(2) 論理的展開の良い例

Ex.1 Sales: New Products to Overseas Distributors
04 [セールス：海外販売代理店に対する新製品の発表]

Introduce Key Point
[キーポイント紹介]

"All the models in the SpeedPrint range are fast. Fast at printing, transmission and scanning. Much faster than the competition, in fact. As I would like to show you, this chart shows a comparison with our two major competitors, Suzaka and Nishida Corp.

Present Supporting Details
[詳細説明]

As you can see, the SpeedPrint range has the highest performance in all three areas: printing speed, transmission speed and scanning speed. I have details of these figures which I can give you after my presentation, if you would like.

You may say 'They are only a few seconds faster than the competition.' That is true. But if your customers are sending hundreds of pages by fax every day, that extra speed will save a lot of time and, more importantly, save money.

To briefly summarize that point, please remember that Kadota SpeedPrint faxes are fast. Fast at printing, fast at transmitting, fast at scanning. And they are faster than the competition. **The main benefit** for the customers is that they can save a lot of money on their telephone charges. This is a key sales feature of the new range. That is why we call them SpeedPrint.

Transition to Next Key Point [つなぎ]

OK, now I'd like to move on to the second key sales feature, memory capacity."

【訳】

［SpeedPrintシリーズの全モデルは速さを誇ります。速い印刷、速い送信、速いスキャニングです。実際、他の競合製品よりずっと高速です。見ていただきますように、この表は2つの主要な競合他社、スズカ社とニシダ社との比較を示しています。

　ご覧の通り、SpeedPrintシリーズは、印刷スピード、送信スピード、スキャニングスピードの3つの領域で最高の性能を持っています。これらの数値の詳細を用意してありますので、必要でしたら私のプレゼンテーション終了後に差し上げたいと思います。

　皆様は、「ほんの数秒だけ、ライバル機種より速いだけじゃないか」と言われるかもしれません。確かにそうです。しかし、もし皆様のお客様が毎日何百枚ものページをファックスで送るとしたら、その数秒というスピードの違いが大幅な時間節減をもたらし、さらに重要なことに、経費をも削減することになるのです。

　この点を簡潔にまとめますと、カドタのSpeedPrintファックスは高速だということを覚えておいてください。印刷が高速で、送信が高速、そしてスキャニングが高速です。他の競合製品よりも高速なのです。お客様にとって**最も重要な利点は**、電話代を節減できるということです。これが新シリーズのセールス

ポイントです。ですから、SpeedPrint と名づけているのです。
　では、次のセールスポイントであるメモリー容量に**移りたいと思います。**]

Ex.2 A Company Description
05 [会社の詳細情報発表]

Introduce Key Point
[キーポイント紹介]

"**Now I would like to move on to** Kadota's international operations. Let me start by showing you where Kadota is now, and then I'll move on to where Kadota is planning to be in five year's time.

As you can see from this map, Kadota has three main operating areas overseas: North America, Europe and Asia. Overall, we have a total of 15 offices in 10 different countries, from where we can provide after-sales service and support world-wide.

Present Supporting Details
[詳細説明]

Most of our current business is in the North American and European markets, where most of our offices are now located. However, the Asian market is growing rapidly and we believe that this market will be the most important in the future. I'll talk more about Asia in a few moments, but before that **I would like to give you an idea** of how much business Kadota is doing internationally.

As you can see from this table, total sales of all Kadota products worldwide in 1994 were US$3 billion. Of these, $1.6 billion came from the Japanese market and $1.4 billion came from our overseas operations. So you can see how important our overseas operations are. By the way, more detailed financial information is available in the report on your desks.

To briefly summarize that, Kadota has a strong international network that can provide full after-sales service and support to any location worldwide. And, in addition, nearly 50% of our sales revenue comes from our overseas operations.

> **Transition to Next Key Point [つなぎ]**

Now I would like to move on to our five-year expansion plans. And I would like to start by talking about what is currently happening in the Asian marketplace."

【訳】

[**それでは、カドタの国際オペレーションに移りたいと思います。**まずカドタの現在の状況についてお伝えし、その後、カドタの5年後を見据えた計画について発表します。

　この地図でおわかりのように、カドタは海外に3つの主要な活動地域を持ちます。北アメリカとヨーロッパ、そしてアジアです。全部で10カ国に15の支店があり、そこからアフターサービスとサポートを世界各地に供給することができます。

　現在の主なビジネスは北アメリカとヨーロッパマーケットで、ここにほとんどの支店が置かれています。しかし、アジアのマーケットが急速に発展しており、ここが将来の鍵を握ると確信しております。アジアについては後ほどさらにご説明いたしますが、その前に、カドタが国際的にどのくらいの取引を行っているかを**お伝えしておきたいと思います。**

　この表でご覧いただけるように、1994年の全世界での売り上げは米ドルで30億ドルです。このうち、16億ドルが日本のマーケット、14億ドルが海外取引からのものです。これで、いかに海外取引が重要かがおわかりいただけるでしょう。ちなみに、財務情報についての詳細は、机にありますレポートをご覧ください。

　簡潔に申しますと、カドタには完璧なアフターサービスとサポートを、海外のいかなる地域でも提供できる強力な国際ネットワークがあるということです。さらに付け加えますと、50%近くの売り上げが海外市場から生まれています。

　それでは次に、私どもの5カ年拡大計画に移りたいと思います。まず、現在アジア市場で何が起こっているかから始めたいと思います。]

Other Techniques for Presenting Logically
論理的展開：その他のテクニック

ここまでで、基本的な論理的展開の方法を見てきました。ここからは、聞き手・聴衆に情報を理解してもらうための、その他の重要なテクニックを見ていきます。

(1)Explain Significance and Benefits ［意義・重要性や利点の説明］
提示する情報、あるいは製品を使うことの意義や利点を、聞き手に伝えることが極めて重要です。"**which means that...**"のような表現を用いましょう。以下はその用例です。

Examples

1) "Vertical scanning is achieved by changing the angle of the hexagon mirror. The mirror can move in six precise angles of inclination, **which means that** the detection area is divided into six lines in the vertical direction, as shown here. **Vertical scanning means that** the system can detect the vertical position of an object, **and this enables** more precise recognition."
［垂直スキャンは六角（回転）ミラーの傾斜角を変えることによって作動します。ミラーは正確に6通りの傾斜角で移動します。**ということは**、ここにありますように、探知部分が垂直方向に6列に分割される**ということです**。垂直スキャンによって、このシステムは物体の垂直方向の位置を探知し、**それによって**より正確に識別**できることになるのです**。］

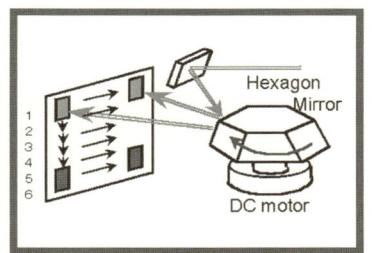

2) "This car has electric windows, **which means that** you can open the windows at the touch of a button."
［この車は電動式ウインドウです。**すなわち**、指でボタンに触れるだけで窓を開けることができます。］

3) "This printer has an 'Economic Print' mode **which lowers** the cost of printing by 50% through reducing the amount of toner. **You can use** this function

to print documents for proof reading."
［このプリンターには、「エコノミックプリント」というモードが装備されており、**これによって**トナーの量を減らすことで50%もの印刷経費の**削減になります。**この機能を校正用のドキュメント印刷に**使用できます。**］

4)"This Optical MOS relay is 20% faster than other relays. **This means that** you can significantly increase the speed of switching systems."
［このオプティカルMOSリレーは、他のリレーより20%も高速です。**ということは、**スイッチングシステムのスピードを驚異的に向上できる**ということです。**］

5)"The built-in CD-ROM **not only gives** you access to a vast range of multi-media software, **but also** allows you to play music while you work."
［内蔵されたCD-ROMによって、膨大な数のマルチメディア・ソフトウェアを利用できる**だけでなく、**作業中に音楽もかけられるのです。］

6)"**The great advantage** of using this production method is that we can reduce the number of product defects by 5%."
［この生産方法を使う**大きな利点は、**欠陥率を5%減少できるという点です。］

7)"**The results of this research show that** we should be able to develop a new cancer fighting drug within 3 years."
［この**研究結果は、**3年以内にがんに対抗する新薬が開発できることを**示しています。**］

8)"**If we choose this option then** we will be able to reduce construction time by 3 weeks. **We will be able to** finish the project ahead of schedule and save costs."
［この**代替案を選択すると、**3週間の工期短縮ができます。このプロジェクトを予定より早く終了し、費用削減が**できます。**］

(2) Explain Reasons ［理由説明］
提示する情報に対して聞き手の理解を深めるためには、その情報を補足する理由の説明が欠かせません。そうでないと、聞き手には「なぜ？」「そのわけは？」

という疑問がわき、説得力を持ち得ないからです。必要な理由の説明は必ず行ってください。

　以下に悪い例と良い例を比較しました。参考にしてください。

Examples

Poor: No Reasons Given
［理由説明なし］

1)"Last year, as you know, sales went down by 20%."

2)"More training will help us to achieve 40% sales growth."

3)"We have stopped selling laser disk players in Japan, and we are now concentrating on Europe."

4)"Our current GSM 1.5 chip is not a solution for the SmallTalk model."

Better: Reasons Given
［理由説明あり］

1)"Most of us here today know that sales went down by 20% last year. But **I think it is important that I explain the reasons** for this."

2)"We believe more training will help us to achieve 40% sales growth, and **I would like to explain exactly how** training will help us to do this."

3)"We have stopped selling laser disk players in Japan, and we are now concentrating on Europe. **The reasons for this are** that the Japanese market has become saturated, while the European market is fairly new."

4)"**As you can see from this slide,** our current GSM 1.5 chip is not a solution for the SmallTalk model for three reasons. First, the price is too high. $10 is not a competitive price for the low-end model.

> **Why is our GSM 1.5 Chip Not Suitable for Mid/Low End?**
>
> High Price: >10$
> - Too many functions
> - High pin count (170 pins)
> - Large size
>
> Too expensive, too complex, too big

Also, the GSM 1.5 chip has too many functions that will not be used in the SmallTalk model. It also has a high pin count of 170 pins and it has a large size. In other words, **it is too expensive, too complex and too big.**"

【訳】
1)［昨年より売り上げが20%下がったことを、ここにいる多くの方々はご存じです。しかし、**下がった理由を説明させていただくことが重要だ**と考えております。］

2)［トレーニングを増やすことが、売り上げ増40%を達成することにつながると確信しております。そこで、**なぜトレーニングが、その助けになるのかをご説明したいと思います。**］

3)［日本でのレーザーディスク・プレーヤーの販売を中止し、現在はヨーロッパに集中しています。**その理由は**、日本のマーケットが飽和状態になったのに対し、ヨーロッパマーケットがかなり新しい**ということです。**］

4)［**このスライドでおわかりの通り**、我が社の現行のGSM1.5チップがSmallTalkモデルのソリューション（解決策）とならないのは、次の3つの理由からです。最初に、価格が高過ぎる点。10ドルでは、中・下位モデル用としては競争力がありません。また、GSM1.5チップには、SmallTalkモデルでは使用しない機能が多すぎる点。そして170ピンと多ピンであり、サイズも大きすぎること。つまり、**価格が高く、複雑で、大きすぎる、ということなのです。**］

「論理的展開」は以上です。次は、聞き手・聴衆の興味・注意をどのように持続させていくかを見ていきます。

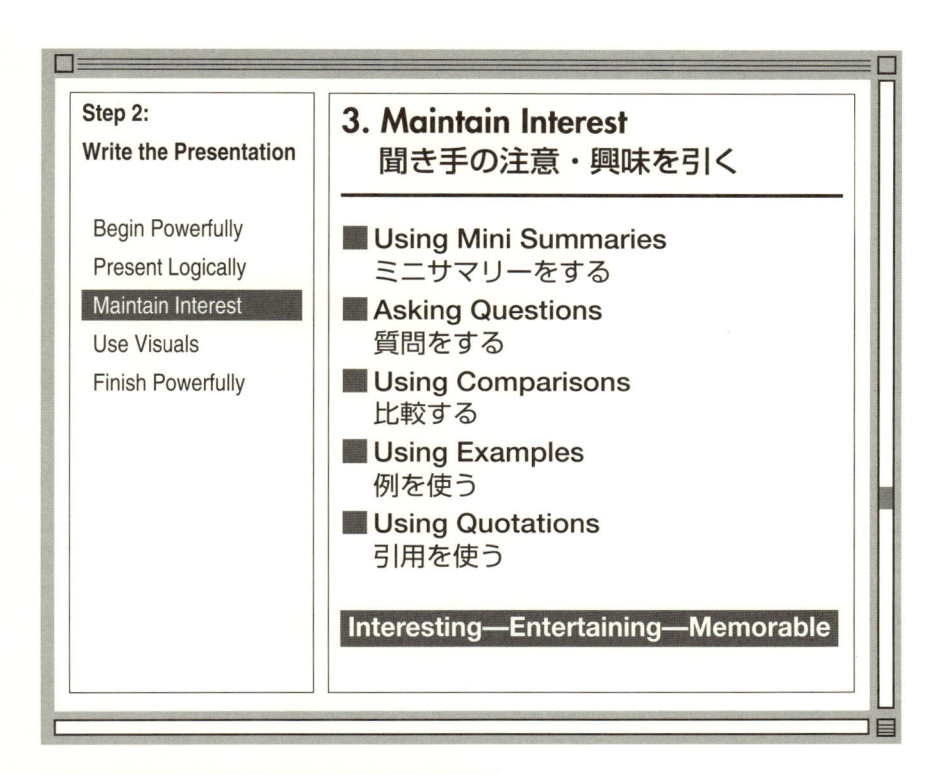

```
Step 2:                 3. Maintain Interest
Write the Presentation     聞き手の注意・興味を引く

Begin Powerfully        ■ Using Mini Summaries
Present Logically          ミニサマリーをする
Maintain Interest       ■ Asking Questions
Use Visuals                質問をする
Finish Powerfully       ■ Using Comparisons
                           比較する
                        ■ Using Examples
                           例を使う
                        ■ Using Quotations
                           引用を使う

                        Interesting—Entertaining—Memorable
```

How to Maintain Interest
聞き手の注意・興味の引き方

ここでは、プレゼンテーションの間、聞き手・聴衆の興味や注意を話し手の方に向けさせ、それを持続させるにはどうしたらよいかを見ていきます。

特に以下に挙げる点について見ていきます。

- ■ Using Mini Summaries ［ミニサマリーをする］
- ■ Asking Questions ［質問をする］
- ■ Using Comparisons ［比較する］
- ■ Using Examples ［例を使う］
- ■ Using Quotations ［引用を使う］

まず、下図をご覧ください。このグラフは、聞き手の注意力の推移を視覚的に表わしたものです。点線は退屈なプレゼンテーションでの聞き手の注意力の推移を表わします。ご覧の通り、結論の前までに注意力が散漫になったり、居眠りをしてしまう傾向にあります。皆さんが発表する時は、図の実線で示されているように、高い注意力を持続させるようにしなくてはなりません。

そのための有効な方法を、以下順に見ていきましょう。

Audience Interest Level [聞き手・聴衆の注意力の推移]

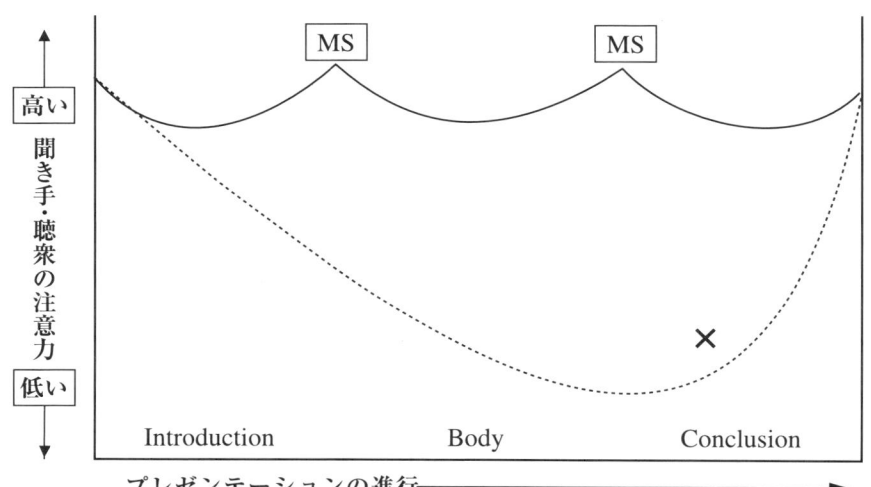

縦軸：聞き手・聴衆の注意力（高い／低い）
横軸：プレゼンテーションの進行（Introduction / Body / Conclusion）
MS, MS

(1) Use Mini-Summaries [ミニサマリーをする]

ミニサマリーとは、上図のMSで示された、BodyやConclusionで使われる短い要約のことです。ミニサマリーの目的は、キーポイントをその都度聞き手に思い起こさせることにあり、とりわけ情報量が多かったり、長いプレゼンテーションの時に有効な手段となります。

ここでは、**"Let me summarize that..."** や **"Let me repeat that..."** といった表現を使うと良いでしょう。こうした表現によって、聞き手は「いよいよ結論だ」と注意力を喚起され、集中して聞こうとするようになります。

When to Use Mini-Summaries ［ミニサマリーをするタイミング］

ミニサマリーを行うタイミングとしては、キーポイント間のつなぎの時が最もよいでしょう。覚えておいてもらいたい情報を繰り返し、次のポイントにつなげる際に使います。**"Let me summarize that...."**と言うことで、特にキー情報を思い起こさせる良いチャンスとなるのです。

以下いくつかの用例を見てみましょう。

Examples

1) **"To briefly summarize that**, the new products scheduled for next year will enable us to maintain our position as market leader. **Now I would like to move on to** the subject of overseas sales."
［**簡潔にまとめますと**、来年予定しています新製品は、当社がマーケットリーダーの地位を維持することを可能とするものです。**次に**、海外でのセールス**に移りたいと思います。**］

2) **"Let me repeat that.** The problem with the XR-1 portable telephone is that the battery keeps on losing power after only 20 minutes use. **Before I move on to** the solution to the problem, do you have any questions about the problem itself?"
［**もう一度繰り返しましょう**。携帯電話XR-1の問題は、わずか20分間使用しただけでバッテリーのエネルギーが消耗するということです。この問題の解決案**に移る前に**、問題そのものに関する質問はありますか？］

3) **"Please remember** these three key sales points about the new printer: price, performance and quality. **OK, now let's move on to** the proposed sales promotion activities for the next six months."
［新しいプリンターについての3つの重要なセールスポイントを**どうぞ銘記してください**。すなわち、価格、性能、そして品質です。**よろしいですね。それでは**、向こう6カ月間の販売促進活動案**に移りましょう。**］

4) **"To briefly summarize that point**, please remember that Kadota Speed-Print faxes are fast. Fast at printing, fast at transmitting, fast at scanning. And they are faster than the competition. That is why we call them SpeedPrint. **OK, now I'd like to move on to** the second key sales feature, memory."

［この点を簡潔にまとめますと、カドタのSpeedPrintファックスは高速だということを覚えておいてください。印刷が高速で、送信が高速、そしてスキャニングが高速です。他の競合製品よりも高速なのです。ですからSpeedPrintと名づけているのです。**それでは、第2のセールスポイントであるメモリーに移りたいと思います。**］

(2) Ask Questions to the Audience ［質問をする］

プレゼンテーションの最中、必要に応じ、いつでも聞き手・聴衆に質問をすることで、彼らを引き込んでいくようにします。

Examples

1) "**So why is this** a good sales feature? Just explain to your customers that this is useful for busy periods, like weekends, when reception volume might be large."
［**それでは、これがどうしてセールスポイントなのでしょうか？**　週末のような忙しい時には、受信量が多くなるので、これが役立つということをお客様に説明してください。］

2) "Before I move on to print quality, **do you have any questions so far?**"
［印刷の質に移る前に、**ここまでで何かご質問はありますか？**］

3) "Last year sales went down by 12%. **Why? What went wrong?** I'm going to answer that question for you in my presentation."
［昨年は、売り上げが12％落ちました。**なぜでしょうか？　何が良くなかったのでしょうか？**　このプレゼンテーションで、その点について回答したいと思います。］

4) "**What do you think** was the cause of the problem?"
［この問題の原因は**何だと思いますか？**］

5) "**Are you familiar with** semiconductor manufacturing techniques?"
［半導体製造技術**に明るいですか？**］

6) "If this problem is not solved, **what will happen?** The answer is simple: we

will all be in big trouble!"
［その問題が未解決ならば、**いったい何が起こるでしょうか？** 答えは簡単です。私たち全員が大いに困るということです。］

> **ヒント**
> ▶ 最も良い質問の仕方は、聞き手に答えを求めないで、話し手自身が答えていく方法です。これは、聞き手に答えさせ、思わぬ答で面食らったり、思わぬ方向に話が進んでしまう、といった事態を避け、自分でプレゼンテーションの流れをコントロールするために有効なテクニックです。

(3) Use Comparisons ［比較する］

あなたが提示する情報と、聞き手・聴衆がすでに知っている情報とを比較することによって、聞き手のその情報に対する知識を高め、興味を持続させるようにします。

以下はその用例です。

Example

"**This chart shows** a comparison with our competitors' models. **As you can see**, the standard memory is almost the same, but SpeedPrint facsimiles beat the competition on maximum memory, by up to 3 MB. **As you can see,** the KT-110 can be expanded up to a very large 9 MB, or about 540 pages of A4. That's enough for storing a whole book."

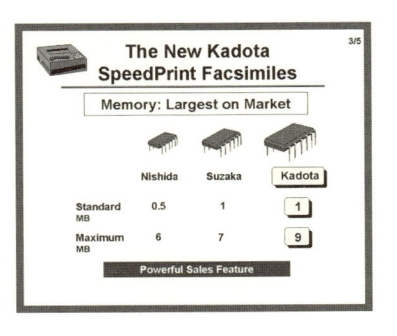

［**この表は**、競合モデルと比較したものです。ご覧の通り、標準メモリーはほとんど同じですが、SpeedPrintファクシミリは、最大メモリーにおいて競合モデルに最大3MBまさっています。**おわかりのように、**KT-110は最大9MB、A4サイズで約540ページ分まで増やせます。ほぼ本1冊分を蓄積するのに十分です。］

(4) Use Examples ［例を使う］

アイデアやコンセプトを説明するために、例や比喩を使いましょう。数に対しては、身近なものに置き換えて説明します。次ページに、その例を示します。

> **Example**

"There are two reasons for this. First, speed and convenience. It's much quicker to store faxes in memory than to print them out. Also, customers want to be able to scan documents into memory for transmitting at a later time, in the evening, **for example**, when telephone rates are lower, or when there is a long queue of people waiting to send a fax."
[これには2つの理由があります。まず第1に、スピードと便利さです。メモリーにファックスをためておく方が、印刷出力するよりもかなり高速です。また、お客様は、ドキュメントを後で送信するためにメモリーに読み込んでおけることを望みます。**例えば**電話代が安くなる夕方に送るのです。あるいは多くの人が送信するために順番待ちをしている時などです。]

さらにいくつかの例を見てみましょう

> **More examples**

1) "Do you know how much waste is generated by Japan each year? 50 million tons! Do you know how much space that takes up? About 150 baseball stadiums. Where does it all go?"
[日本では毎年、どのくらいのゴミが発生しているかご存じですか？　5,000万トンにも上ります。それがどのくらいのスペースをとるかおわかりですか？　野球場150個分くらいです。それらのゴミは、どこに行くのでしょうか？]

2) "Do you know how far it is to the nearest star? It is 25,000 billion miles! If you left Tokyo on the Shinkansen it will take you 13.3 billion years to get there. Can you imagine how expensive the ticket will be?"
[一番近い恒星は、どのくらい離れているかご存じですか？　25兆マイル（約40兆キロ）です。もし東京から新幹線で行くとなると、133億年かかる計算になります。運賃はどのくらいになるか想像できますか？]

3) "This computer program has 130,000 lines. If you printed it out it would be over 1 km long, and it would take you six minutes to run down the length of it."
[このコンピュータプログラムは13万行あります。もし印刷すると、1キロ以上の長さになります。その長さを走るとなると、6分間も要することになります。]

4) "The city of Asahikawa in Hokkaido has 2,000 km of roads—the equivalent of a trip to Tokyo and back."
[北海道、旭川市の道路の総延長は2,000キロメートルにもなり、これは東京への往復に相当する距離です。]

(5) Use Quotations ［引用を使う］

引用を使う方法は、聞き手の注意を引く上で、かなり有効な手段となり得ますが、事前にしっかりと、出典や意味を把握しておく必要があります。また、聞き手に受け入れられる内容(宗教や、文化的違いによって受け入れられなかったり、意図しなかった意味に取られる、など)のものかどうかをチェックしておくことも大切です。

Example
"Graham Bell once said:
'Concentrate all your thoughts upon the work at hand. The sun's rays do not burn until brought to a focus.'
You will concentrate on your presentation work so you can make a good presentation."
[グラハムベルはかつてこう言いました。『現在行っている仕事に全神経を注ぎなさい。太陽光線も、焦点が合わないと発火させることはできないのだから』と。皆さんもプレゼンテーション準備に集中してください。そうすればきっと良いプレゼンテーションになるはずです。]

「聞き手の注意・興味を引く」はこれで終了です。続いて、読者の皆さんが最も接する機会が多く、聞き手の興味を引く最も有効な手段でもあるビジュアルエイドの活用法について見ていきましょう。

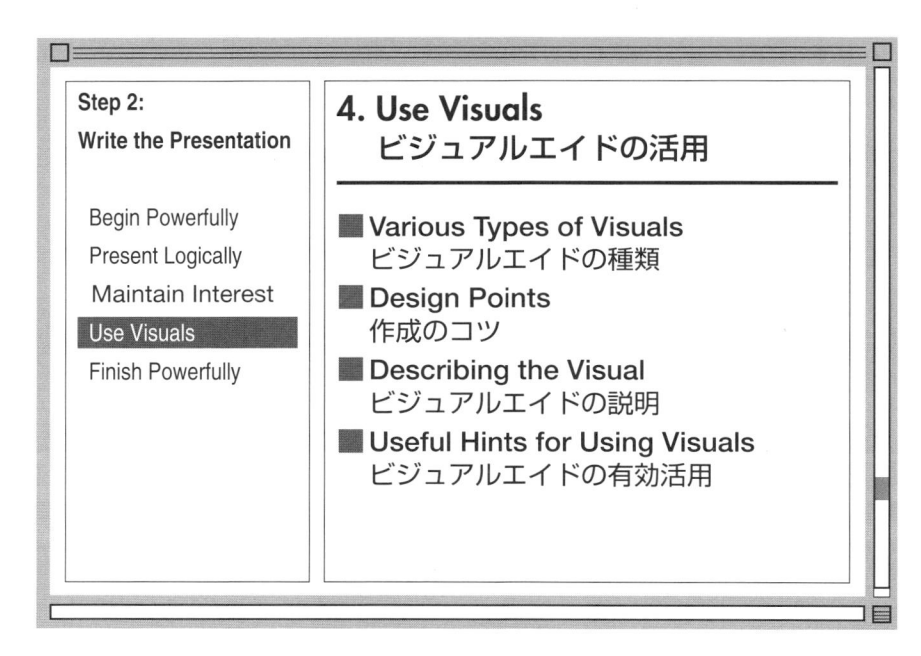

Step 2: Write the Presentation	4. Use Visuals ビジュアルエイドの活用
Begin Powerfully Present Logically Maintain Interest **Use Visuals** Finish Powerfully	■ **Various Types of Visuals** 　ビジュアルエイドの種類 ■ **Design Points** 　作成のコツ ■ **Describing the Visual** 　ビジュアルエイドの説明 ■ **Useful Hints for Using Visuals** 　ビジュアルエイドの有効活用

ここからは、ビジュアルエイドの作り方と使い方を見ていきます。特に、上に挙げた4つのポイントについて詳しく見ていきます。

How to Use Visuals
ビジュアルエイドの活用法

ビジュアルエイドを使う目的は、聞き手・聴衆が話し手の情報を理解し、覚えやすくすることです。ビジュアルエイドは、プレゼンテーションの形式、伝えようとする情報の種類によって異なります。OHPは、ビジネスプレゼンテーションで最も頻繁に使われているビジュアルエイドです。しかし、OHPがすべての場面に適しているとは限りません。

(1) Various Types of Visual ［ビジュアルエイドの種類］

Visual Aid	Advantages ［長所］	Disadvantages ［短所］
OHP-Overhead Projectors ［オーバーヘッド・プロジェクター］	●グループの大小にかかわらず使える。 ●移動がしやすく、使いやすい。 ●ほとんどの場所に設置されている。	●写真映写にはあまり適さない。 ●モーター音が気になる。
Flip Charts ［フリップ］	●用途が広く、並べ替えが簡単。 ●会議運営などに向く。 ●聞き手と対応しやすい。 ●重要点を表示できる。	●非公式な雰囲気。 ●手書きのセンスが必要。 ●簡単な図表のみ。 ●小グループのみに対応。
Movies and Videos ［映画・ビデオ］	●インパクトが強く、注意を引ける。 ●ポイントがすばやく押さえられる。 ●ドラマチックに表現できる。	●素材制作費が高価。 ●ビデオデッキなどの機器が、時として故障などを起こす。
Posters ［ポスター］	●一貫したメッセージで表現。 ●プロのイメージが期待できる。 ●大きな器機などの提示に向く。 ●広告に良い、展示として残せる。	●携帯には不向き、破損しやすい。 ●ビジュアルエイドとしては小人数グループしか向かない。
White Board ［ホワイトボード］	●多くの場所に設置されている。 ●会議運営などに向く。 ●聞き手と対応しやすい。 ●情報をそのまま提示しておける。	●手書きセンスが求められる。 ●簡単な図表のみ。 ●小人数グループ向け。
Models ［模型］	●見ただけでも理解しやすい。 ●製品知識が伝えやすい。 ●ドラマチックで、注意を引きつけやすい。	●話し手から注意がそれてしまう。 ●小人数グループ向け。

Visual Aid	Advantages [長所]	Disadvantages [短所]
PC (Digital) Projectors [PCプロジェクター]	●大小両グループに対応できる。 ●操作が簡単である。 ●用途が広く、質疑応答などに向く。	●設置されている所が少ない。 ●パソコンなどの技術的な知識スキルが必要。
35mm Slide Projectors [スライド映写]	●プロのイメージが期待できる。 ●大人数にも対応できる。 ●操作が簡単。 ●カラーのグラフィックはより力強い説得力を持つ。	●部屋を暗くする必要がある。 ●機材(特に回転式のもの)が大きくかさばってしまう。 ●機器が故障する恐れがある。

(2) Design Points [作成のコツ]

ビジュアルエイドをデザインする時のキーポイントは：

●シンプルであること。キーワードと簡単な図表のみにしてください。
●部屋の後部座席の人にまで見えるようにすることも重要です。

以下最も多く使われている、OHPを作る際の注意点を挙げていきます。

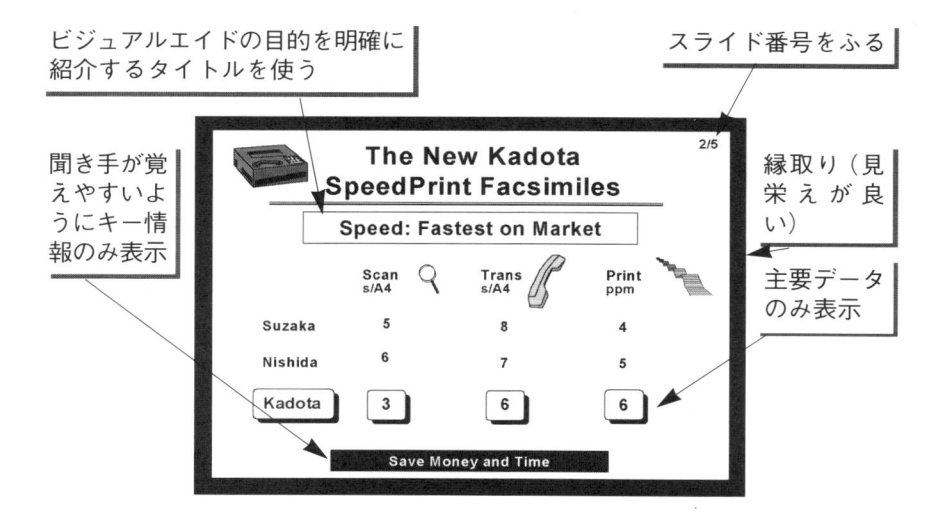

ビジュアルエイドの目的を明確に紹介するタイトルを使う

スライド番号をふる

聞き手が覚えやすいようにキー情報のみ表示

縁取り(見栄えが良い)

主要データのみ表示

The New Kadota SpeedPrint Facsimiles

2/5

Speed: Fastest on Market

	Scan s/A4	Trans s/A4	Print ppm
Suzaka	5	8	4
Nishida	6	7	5
Kadota	3	6	6

Save Money and Time

- OHPフィルムの端から、最低25ミリを空ける。
- 各ビジュアルエイドに、タイトル、あるいはヘッドラインがあるかを確認する。
- 各ビジュアルエイドには、1つのアイデアのみを記す。
- キーワードだけを書く。
- 数値の使いすぎに注意。トータルか重要な数値のみを使う。
- 内容が正しい順番になっていることを確認する。
- スペルに間違いがないように、常に注意を払う。
- 番号にするか、行頭記号にするか。

    番号
    1. 重要性の順を示す。
    2. 時系列を示す。

    行頭記号
    - 各項目は、同じ重要性を示す。
    - 後に続く言葉と混乱させない。

- OHPフィルムを横長で使うか縦長で使うかを統一し、ミックスは避ける。
- 聞き手が記憶しやすいように、キーメッセージを書く。
- OHPフィルムに番号をふる。誤って落とした時に便利であり、また質疑応答の時に、聞き手が参照できる。また、話すことを忘れてしまった時に役立つ。

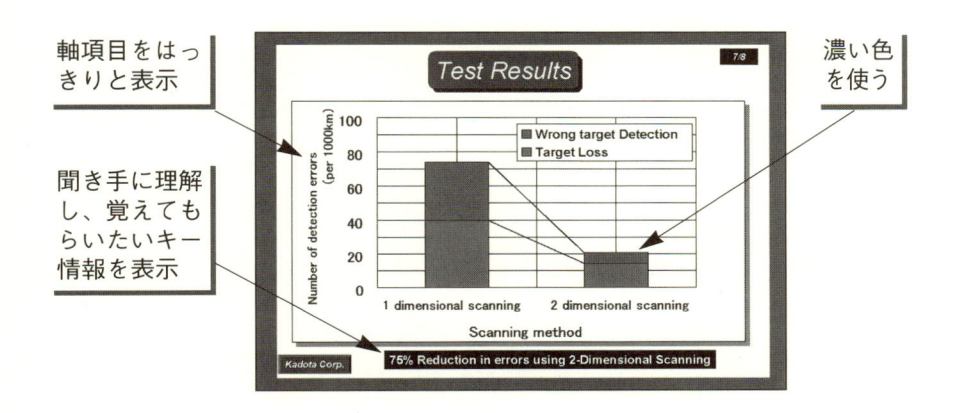

軸項目をはっきりと表示

濃い色を使う

聞き手に理解し、覚えてもらいたいキー情報を表示

Test Results 7/8

Number of detection errors (per 1000km)
- Wrong target Detection
- Target Loss

1 dimensional scanning / 2 dimensional scanning
Scanning method

Kadota Corp. 75% Reduction in errors using 2-Dimensional Scanning

- チャートはシンプルにする。
- 棒グラフは、関係を強調する時や、項目を比較する時に役立つ。
- 線グラフは、傾向や関係、比較を示す。
- 背景の色が薄い場合、濃い色の太字を使う（例：背景が白色に、黄の文字は避ける）。
- 背景が濃い色の場合、薄い色の文字を使う（例：背景が青色に、黒の文字は避ける）。

＜注＞データを引用する場合は、出典を明らかにするようにしましょう。

(3) Describing the Visual ［ビジュアルエイドの説明］

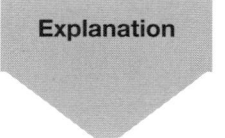

ビジュアルエイドの内容が極めて単純で、聞き手が容易に理解できるという場合以外は、ビジュアルエイドには、通常、前置きや内容の説明、結びなどが必要です。例えば、OHPを用いる際には、前置きの説明や結びの説明を行います。言いたいことのポイントをていねいに説明するために十分に時間をかけましょう。例えば、OHPを10秒だけ見せ、引っ込めるというようなことは避けます。ビジュアルエイドは最低1分間、できればもう少し長く見せるようにしてください。最後に、次のポイントまたは次のビジュアルエイドに移る時には、つなぎの言葉を使いましょう。

Introduce Visual
［ビジュアルエイドの紹介］
ビジュアルエイドを紹介し、必要であれば、聞き手が簡単に理解できるように、短い説明を加えます。

Explanation
［ビジュアルエイドの説明］
ビジュアルエイドにある情報はすべて説明しましょう。その情報の重要性と有益性を聞き手に伝えることを忘れないでください。

Transition to Next Point
［つなぎ］
覚えておいてもらいたいポイントの要約を繰り返し、それから次のポイントへとつなげるようにします。

例を見てみましょう。

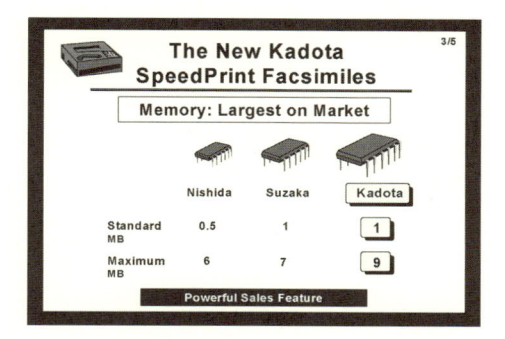

Introduce Visual [紹介]

"**This chart shows** a comparison with our competitors' models.

As you can see, the standard memory is almost the same, but SpeedPrint facsimiles beat the competition on maximum memory, by up to 3 MB. As you can see the KT-110 can be expanded up to a very large 9 MB, or about 540 pages of A4. That's enough for storing a whole book.

Explanation [説明]

Please remember that the SpeedPrint facsimiles have a large memory, and that this can be a very powerful sales feature for you.

In summary, then, a large memory capacity allows customers to spend less time actually standing at the machine to send faxes and also lowers costs. So please don't hesitate to stress the benefits of expanding the on-board memory to your customers.

Before I continue, do you have any questions so far?

Transition to Next Key Point [つなぎ]

Now let's look at the last sales feature, price."

Step 2: プレゼンテーションを書く | 79

【訳】
［この**表は**、競合モデルと比較したものです。

　ご覧の通り、標準メモリーはほとんど同じですが、SpeedPrintファクシミリは、最大メモリーにおいて競合モデルに最大3MBまさっています。おわかりのように、KT-110は最大9MB、A4サイズで約540ページ分まで増やせます。ほぼ本1冊分を蓄積するのに十分です。

　SpeedPrintファクシミリは、大容量メモリーを持ち、これが強力なセールスポイントとなりえることを**覚えておいてください**。

　まとめますと、**つまり**大容量メモリーによって、送信のためファックス機の前に立っている時間が減り、またコストも下がるのです。ですから、オンボード・メモリーを拡張する利点を十分にお客様に説明してください。

　次を続ける前に、ここまでで何かご質問はありますか？

　では最後のセールスポイントである価格について**見てみましょう**。］

(4) Some Useful Hints／1 ［使い方の有益なヒント1］

> **Why Is Our GSM 1.5 Chip Not Suitable for Mid/Low-End?**
>
> **High Price: >$10**
> ・Too many functions
>
> ---
>
> 白紙の紙を用意し、最初に情報を隠しておき、徐々にずらせて情報を見せていきます。

▼

> **Why Is Our GSM 1.5 Chip Not Suitable for Mid/Low-End?**
>
> **High Price: >$10**
> - Too many functions
> - High pin count (170 pins)
> - Large size
>
> Too expensive, too complex, too big

ヒント：紙をOHPシートの下に置くことによって、プレゼンターはフィルムの内容を見て進められます。

▼

> **Why Is Our GSM 1.5 Chip Not Suitable for Mid/Low-End?**
>
> **High Price: >$10**
> - Too many functions
> - High pin count (170 pins)

プレゼンターが聞き手に話している部分の情報だけを、見せるようにします。こうすることで、余分な情報を見せて聞き手の注意を散漫にすることなく、話している内容に注意を引きつけておくことができるのです。

(5) Some Useful Hints/2 [使い方の有益なヒント2]

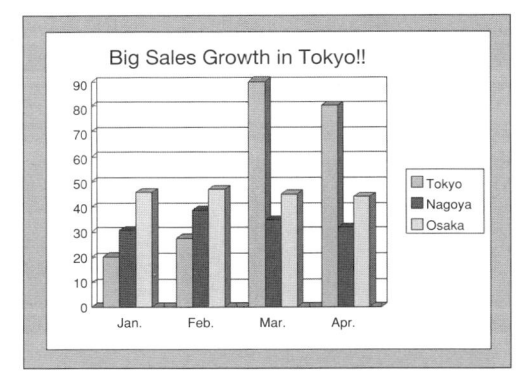

最初にこのスライドを見せる

右のスライドを上に重ねる

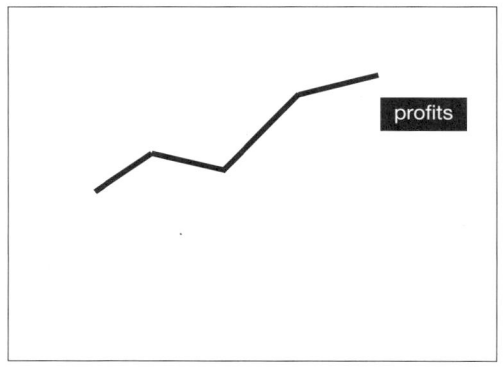

最終的にこうなる

＜注＞この方法は、特に複雑な図表などを使う場合に有効で、1つ1つのポイントをわかりやすく、順を追って説明でき、聞き手も理解しやすくなります。

以下にビジュアルエイドを使う際の表現例を挙げておきます。

Example Phrases

1) "This diagram shows...."
［この図は、……を示しています。］

2) "I'd like you to look at this chart...."
［このチャートをご覧ください。］

3) "The next chart shows this in more detail...."
［次のチャートは、このことをより詳しく表わしています。］

4) "The blue line shows sales and the red line shows costs...."
［青い線は、セールスを表わし、赤い線はコストを示しています。］

5) "As you can see, the most surprising outcome was...."
［ご覧の通り、最も驚くべき成果は……］

6) "The vibration reaches a peak here, at 2,000 rpm, and then falls slowly back to its original level."
［振動はここの2,000 rpmで最高に達します。それから徐々に、本来のレベルに戻っていきます。］

7) "I'd like you to focus your attention on the area highlighted in red, just here. Please note what happened in 1987 and 1989. In these years production fell remarkably."
［赤で示されたところ、ここですね、そこに注目していただけますか。1987年と1989年に何が起きたかを注目してください。これらの年に、生産量が明らかに落ちています。］

8) "I realize this diagram is a little complicated, but I will do my best to explain the major parts to you."
［この表は少し込み入っているのですが、主要な点をできる限りご説明します。］

9) "As you can see, the new system allows us to completely eliminate all the areas marked in red."
［ご覧の通り、新システムは赤でマークした全領域を完全に削除することができます。］

10) "This graph shows the number of students who attended our employee in-house English language training program for last year and for this year. The vertical bars show the number of students who attended last year, and the line shows the number of students who attended this year."
［このグラフは、昨年と今年の社内英語研修プログラムに参加した受講者数を示しています。縦棒は昨年参加した受講者数、折れ線は今年参加した数を表わしています。］

11) "The message I want to remember from this chart is that the Kadota TR1-X laser is the most powerful of its type in the world."
［このチャートで覚えておいていただきたいことは、カドタのTR1-Xレーザーがこのタイプとしては世界で最も強力であるということです。］

12) "I would like you to look more closely at the eastern division. Here you can see the results of the outstanding work done by Paul Gunson and his team."
［この東部部門にご注目ください。ここでは、ポール・ガンソンと彼のチームによる素晴らしい業績をご覧いただけます。］

「ビジュアルエイドの活用」は、ここまでです。次は「説得力ある結び」を見ていきます。

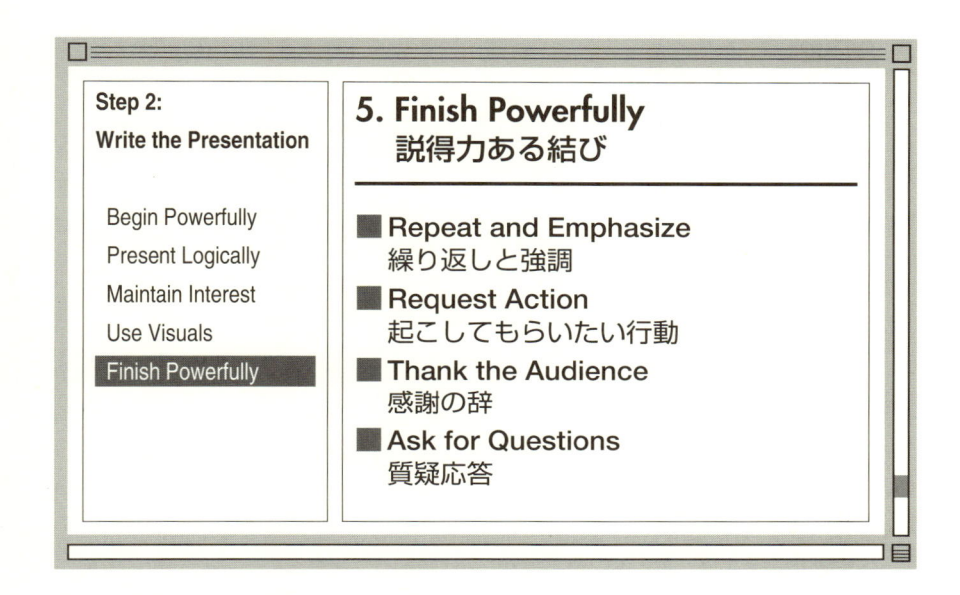

```
┌─────────────────────────────────────────────────────┐
│  Step 2:                  5. Finish Powerfully      │
│  Write the Presentation      説得力ある結び         │
│                          ─────────────────────────  │
│  Begin Powerfully         ■ Repeat and Emphasize    │
│  Present Logically           繰り返しと強調         │
│  Maintain Interest        ■ Request Action          │
│  Use Visuals                 起こしてもらいたい行動 │
│  Finish Powerfully        ■ Thank the Audience      │
│                              感謝の辞               │
│                           ■ Ask for Questions       │
│                              質疑応答               │
└─────────────────────────────────────────────────────┘
```

How to Finish Powerfully
説得力ある終わり方

結論は、プレゼンテーションの中でも最も重要な部分です。なぜなら、結論は聞き手・聴衆の記憶に最も残る個所だからです。また、結論は、プレゼンテーションの目的を達成するところだからでもあります。説得力のある結論に導くためには、プレゼンテーションのキーポイントを繰り返し、聞き手に知ってもらいたいこと、記憶にとどめてほしいこと、起こしてほしい行動を強調することです。プレゼンテーションのボディーでキーポイントを強調するだけでは十分ではありません。結論で、メッセージを繰り返し強調することによって、キーメッセージが伝わるのです。

一般的には、次ページの流れに沿って結論を構成し、進めます。

基本的な流れ

Repeat and Emphasize

[繰り返しと強調]
どの情報が重要かを注意して選択し、結論で繰り返してください。プレゼンテーションの翌日、1カ月後、1年後まで、聞き手に記憶していてもらいたい重要なポイントを数点選ぶようにします。

Request Action

[行動の要求]
プレゼンテーションの後に、聞き手に起こしてもらいたい行動を伝えます。聞き手に、例えば製品の購入を決めてもらいたいのですか？ 自分の考えを取り上げてもらいたいのですか？

Thank the Audience

[感謝の辞]
最後に、清聴してくれたことに感謝の意を表わしてください。質疑応答の前後に行うと良いでしょう。

Ask for Questions

[質疑応答]
ほとんどのプレゼンテーションは、終わりのところで質疑応答の時間を取ります。質問に答えるつもりであることをハッキリと伝えてください。

以下、結論が不十分な例と説得力のある例を見てみます。

(1) 結論が不十分な例

> Sales: New Products to Overseas Distributors
> [セールス：海外販売代理店に対する新製品の発表]

"I would like to finish my presentation by saying that our new SpeedPrint facsimiles have high performance.
I am looking forward to your order.
Thank you."

【訳】

[最後に、我が社の新しいSpeedPrintファクシミリが高性能であることを述べて、私のプレゼンテーションを終わりたいと思います。

　皆様のオーダーをお待ちしております。

　ありがとうございました。]

【不十分な理由】

- キーポイントの繰り返しがない。
- 聞き手に覚えておいてもらいたいキーメッセージがない。
- 質問を受ける機会を設けていない。

(2) 説得力ある力強い終わりの例

Ex.1 Sales: New Products to Overseas Distributors
07 [セールス：海外販売代理店に対する新製品の発表]

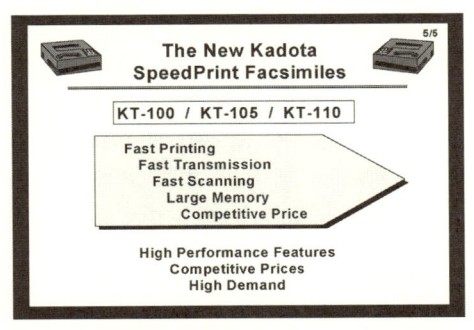

```
The New Kadota
SpeedPrint Facsimiles

KT-100 / KT-105 / KT-110

Fast Printing
Fast Transmission
Fast Scanning
Large Memory
Competitive Price

High Performance Features
Competitive Prices
High Demand
```

Repeat and Emphasize
[繰り返しと強調]

"**I would like to finish my presentation by** reminding you of the key sales features of the new Kadota Speed-Print range of facsimiles. These are: fast printing, fast transmission and fast scanning. Memory: they have a large memory capacity that can be expanded up to 9 MB. Price: they are 10% cheaper than the equivalent model from the competition.

Request Action
[行動の要求]

We believe that the combination of high performance and competitive prices will ensure your success with the

> **Thank the Audience**
> [感謝の辞]

SpeedPrint range, and **we look forward to receiving your first order**.

Thank you.

> **Ask for Questions**
> [質疑応答]

Do you have any questions?"

ヒント

▶ 質疑応答の時もビジュアルエイドで表示した結論はそのまま表示しておきます。スクリーンを真っ白にしておくのは好ましくありませんし、聞き手にキーポイントを思い出させることにも役立ちます。

【訳】
[**最後に**、カドタの新しいファクシミリ、SpeedPrintシリーズの主なセールスポイントを繰り返して、**私のプレゼンテーションを終わりたいと思います**。そのセールスポイントとは、プリントが高速、送信が高速、そしてスキャニングが高速ということです。メモリー容量が大きく、9MBまで拡張可能です。そして価格です。他社の主な製品に比べ、価格が10%も下回っています。
　優秀な性能と価格の安さで、SpeedPrintシリーズの成功は間違いありません。
　皆様のオーダーをお待ちしております。
　ありがとうございました。
　何かご質問はございますか？]

Ex.2 Internal: Asking for Resources to Meet a Client's Needs
🔊 08 [社内向け：顧客ニーズに対応するためのリソース（人員・予算）の要求]

> **Repeat and Emphasize**
> [繰り返しと強調]

"**In conclusion, our target is** to meet Kadota's new business plan and so achieve sales of $150 million for both their high- and mid/low-end models for the year 2002.

The resources needed are one team leader, three system engineers, six designers and a total budget of $1

```
            In Conclusion                    7/7
      Target:
            Achieve $150 Million Order in Yr2000
            For High & Mid/Low End Models
      Resources Needed
            1 Team Leader
            3 System Engineers
            6 Designers
      I Need Your Decision As Soon As Possible!
```

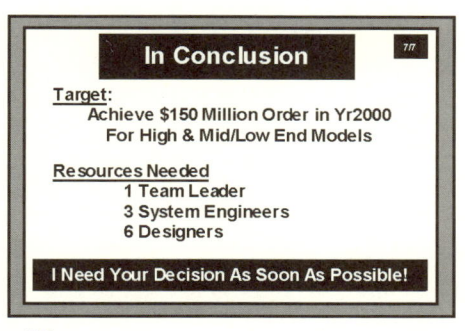

million.

Request Action
[行動の要求]

I need to give Mr. Tanaka a reply by the end of next week. **So I need your decision as soon as possible.**

Thank the Audience
[感謝の辞]

Thank you for listening.

Ask for Questions
[質疑応答]

If you have any questions, I would be happy to answer them."

【訳】

[結論として、私たちの目標は、カドタの新しい事業計画に対応し、その2002年度の上位機種、中・下位機種両方に対して1億5,000万ドルの売り上げを達成することです。

私たちに必要なのは、チームリーダー1人とシステムエンジニアが3人、設計者が6人、そして合計100万ドルの予算です。

田中氏に来週の終わりには回答しなければなりません。皆様のできるだけ早い決断が必要なのです。

ご清聴ありがとうございました。

質問があれば喜んでお答えします。]

説得力ある結び：その他の表現例

1) Presenting a Service

"**I'd like to finish my presentation by summarizing** the benefits of our service. We have gained an international reputation for improving business performance through successful executive development training programs. And we provide senior management with the personal and business skills to deal with the increasing complexity of today's business environment.

Our training programs will enable your senior managers to identify and implement opportunities for competitive development, improve profitability, and make better use of your company's resources to provide a better return on investment. Our training will help you to achieve your corporate goals."

■サービスの説明
[当社のサービスの利点を**要約して、私の話を終わりたいと思います**。

　当社は、企業の業績向上をもたらす経営幹部教育プログラムの成果によって国際的評価を得ました。そして複雑さを増す今日の経営環境に対応するための、個人としてのスキルと経営のスキルを経営幹部に提供しています。

　当社の研修プログラムによって、経営幹部は競争力をもたらす発展の好機を見極め、それを実行すること、収益性を向上すること、より良い投資効果を得るために、組織のリソースをより有効に活用することができるようになります。私どもの研修は、御社の企業目標を達成するのに役立つのです。]

2) Making a Recommendation to Management /1

"Before asking for your approval of my recommendation, **I would like to briefly restate the main points I have presented today**. Our customers now require less stock and rapid delivery. To meet this demand we must have an efficient order processing system, together with on-line production planning and flexible manufacturing systems.

Without this criteria we cannot offer our customers the service they require and we will clearly lose their business. Therefore gentlemen, I would like to recommend that we implement the MPS 1 system immediately and secure the future of our company."

■経営陣への提案1
[私の提案に対するご承認をお願いする前に、**本日の話の要点を改めて簡潔に述べたいと思います**。私たちの顧客は、今日、在庫の削減と速やかな納品を求めています。この要求を満たすために、オンラインでの生産計画と柔軟な製造システムに加え、効率的な受注処理システムが必要です。

この条件を満たせなければ、顧客が求めるサービスを提供することがかなわず、私たちが取引を失うことは明白です。従いまして、MPS 1 システムを速やかに導入し、当社の将来を確固たるものにすることを提案をさせていただきたいと考えます。]

3) Making a Recommendation to Management /2
"**I would like to finish by restating the key issue:** We believe that the current marketing and product strategy is severely limiting our competitiveness in world markets. Our recommendation centers on a new double-capacity DVD ROM for high-end users. As you have seen from our analysis, we feel the demand for this product will be high for both corporate and individual users, and will give us an increase in our market share of as much as 5%. We feel this is the right direction for the company to move into—for all of our futures. Thank you. **I would be happy to answer any questions.**"

■経営陣への提案2
[重要な点を再度繰り返して終わりにしたいと思います。現在のマーケティングと製品戦略は、世界市場における我が社の競争力を著しく制約していると考えます。私たちの提案は、ハイエンド・ユーザー向けの、2倍の容量を持つ新しい DVD-ROM に焦点を当てようということなのです。分析からおわかりの通り、この製品に対する需要は、企業ユーザー、個人ユーザーともに高く、この製品でマーケットシェアが5%ほど伸びると考えられます。当社の将来のために、この方向に進むことが正しいと思っております。ありがとうございました。それでは、ご質問にお答えいたします。]

Other Techniques for Finishing Powerfully
説得力ある結び：その他のテクニック

これまでは、結論での基本的な終わり方を見てきました。次に、その他の有用なテクニックを見てみましょう。

(1) Ask Questions ［質問技法］
イントロダクションと同様、質問によって聞き手の注意を再度向けさせ、終えるやり方です。イントロダクションでたずねた質問を振り返ってもよいし、聞

き手にプレゼンテーションのキーポイントを理解してもらう、あるいは行動を起こしてもらうことを促すような新しい質問をしてもよいでしょう。

> Examples

1) "As you leave here today, I'd like you to consider this: **How can you develop the skills necessary to succeed?** I hope the information I have presented you today will help you to answer that question. Thank you."
［今日、お帰りになる際に、次のことを考慮していただきたいと思います。それは、**成功するために必要なスキルをどう伸ばせるか**、ということです。本日お話しした情報が、この質問の手助けとなることを期待します。ありがとうございました。］

2) **"I would like to finish by asking you one simple question.** If we don't choose this course of action, then what exactly are we going to do instead?!"
［**簡単な質問をもって終わりにしたいと思います**。それは、もし、この方針を採らないとすると、他にどんな方法があるのかということです。］

(2) Using Quotations［引用を使う］

「聞き手の注意・興味を引く」の項で紹介した引用のテクニックは、プレゼンテーションの結びでも効果的です。もしその引用が、自分のプレゼンテーションの話題と、意図している感動的な雰囲気作りに合っているのであれば、自分の提案の最終的な印象が聞き手の心を引きつける助けとなることでしょう（P.73参照）。

> Example

"And so gentlemen I would like to conclude my presentation, not in my own words but in those of a great American physician and discoverer of polio vaccine, Mr. Jonas Salk. He said,
'The greatest reward for doing is the opportunity to do more.'
Thanks you for your kind attention."
［皆様、それでは最後に私の言葉に代えて、偉大なアメリカ人医師でありポリオワクチンの発明者であるジョナス・ソークの言葉をもって私のプレゼンテーションを締めくくりたいと思います。
『行いに対する最大の報いは、さらなる行いの機会が与えられることである』
ご静聴ありがとうございました。］

(3) Asking for Decisions ［決定を促す］

結論での大切なポイントの1つに、聞き手に行動を起こしてもらいたい点を強調することは、前に学びました。そこで、ここでは、ずばりプレゼンターの側からこうして欲しいという依頼や希望を表明することで、結論部を終えるというやり方で効果を上げます。

Example

"So ladies and gentlemen, as you can see, our new range of products is designed to fill an important and potentially lucrative niche in your market. We are expecting demand to be very strong, especially after the press release next week. **I would therefore like to ask for your approval to immediately ship the first 1,000 units for market release.** Thank you. Are there any questions?"
［皆様、ご覧いただいた通り、我が社の新しい製品シリーズは、売り上げの見込める重要なすき間市場を満たすようにデザインされているのです。とりわけ、次週の公式発表後は、多くの需要が見込めると予想しています。**それゆえ、早急に市場出荷用として最初の1000ユニットをお送りすることを許可いただきたいのです。** ありがとうございました。ご質問はありますか？］

以下、いくつかの説得力ある結びの例を挙げてこの項を終わります。

Example Phrases

1) "I would like to finish by emphasizing the product strengths of our OP-1X Optical MOS relays and the reasons why our company is the best choice for you."
［当社のオプティカルMOSリレー、OP-1Xの長所と、当社に決めていただくことが皆さんにとってベストであるという理由を再度申し上げて終わりたいと思います。］

2) "I would like to finish my presentation by reminding you of the key sales features of the new Kadota SpeedPrint range of facsimiles."
［カドタの新型ファクシミリ、SpeedPrintシリーズの主なセールスポイントを申し上げ、私のプレゼンテーションを終わりたいと思います。］

3) "I would like to finish by asking you to remember the following three

things...."
［次の3点を銘記していただくことをお願いして、終わりにしたいと思います。］

4) "I would like to finish by reminding you that this proposal will help you to...."
［この提案が、……に役立つということを申し上げて、終わりにしたいと思います。］

5) "As you leave here today, I would like you to remember that this idea will...."
［本日、この場をお立ちになるとき、この提案が……であるということを銘記していただきたいと思います。］

6) "There you have it everyone, the answer to the problem is...."
［今ご説明しましたように、問題に対する解答は……］

7) "Finally, then, I would like to repeat the one main point I have talked about today...."
［それでは最後に、本日お話しましたことのメインポイントを繰り返したいと思います。］

8) "I'm still not sure what to do about this, but I would like to finish by asking for your cooperation...."
［このことについて、どうすればよいのか、いまのところわかりません。しかし、皆さんのご協力をお願いして、終わりにしたいと思います。］

9) "Before we finish, let's just review the main purpose of this project...."
［終了する前に、このプロジェクトの主な目的を振り返りましょう。］

10) "If there are no more questions, I would like to finish my presentation by saying...."
［ご質問がないようでしたら、……をお伝えして、私のプレゼンテーションを終えたいと思います。］

11) "I would like to finish by briefly summarizing my main points."
［メインポイントを簡単に要約して、終わりにしたいと思います。］

12) "I would like to finish my presentation by reemphasizing the problem that lies in front of us. We must find a way to stop the turbo-charger from overheating at very high engine speeds."
［私たちが直面する問題を再度強調することで、私の話を終えたいと思います。エンジンの超高速回転時におけるターボチャージャーのオーバーヒートを防ぐ方法を見つけなければなりません。］

13) "I'd like to finish by saying that the key to a successful overseas assignment is the ability of the employee to communicate with the staff from the local culture, and these pre-departure training programs provide that key."
［赴任先の現地社員とのコミュニケーション能力が、海外赴任で成功するキーであること、そして、これらの赴任前研修プログラムが、そのキーを提供するものであることを申し上げて、終わりにしたいと思います。］

14) "I would like to finish my presentation by summarizing my main points. The first point is that you can...and the second is....I'm sure you will agree, that is an attractive proposition. Thank you for listening."
［メインポイントを要約して、私の話を終えたいと思います。第1に、皆さんは……ができること、第2に……。魅力的な提案であると、ご賛同いただけると確信しております。ご静聴ありがとうございました。］

これで、「説得力ある結び」を終わります。結論の部分は聞き手に覚えておいてもらいたいメッセージを伝える最期のパートであり、プレゼンテーションの目的・ねらいを完成させるところでもあります。そのため大変重要なパートであることを再度繰り返しておきます。

STEP 3: Practice and Deliver
話し方・伝え方を練習する

> **Step 3: Practice and Deliver**
> 　　　　話し方・伝え方を練習する
> ―――――――――――――――――――――
> 1. Check Structure and Content
>   構成と中身を再度チェックする
> 2. How to Practice Effectively
>   効果的な練習法
> 3. Deliver Clearly and Enthusiastically
>   効果的な話し方
> 4. Handling Questions and Answers
>   質疑応答のコツ

　ここまでのところで、プレゼンテーションの作成が終わりました。
　一般に、日本人プレゼンターは、準備には時間をかけるが、練習には時間をかけない、という傾向が強いようです。効果的なプレゼンテーションを行うためには、練習にも十分に時間をかけるべきです。
　このステップでは、プレゼンテーションの練習法を学習し、自信を持って話せるようにすることをねらいとします。

```
┌─────────────────────────────────────────────────────┐
│ Step 3:                │ 1. Check Structure and Content │
│ Practice and Deliver   │    構成と中身を再度チェックする │
│ ─────────────────      │ ─────────────────────────────  │
│ Check Structure        │ ■ Check Introduction           │
│ and Content            │   イントロダクションのチェック  │
│                        │ ■ Check Key Points             │
│ How to Practice        │   キーポイントのチェック        │
│ Effectively            │ ■ Check Conclusion             │
│                        │   結論部分のチェック            │
│ Deliver Clearly        │                                │
│ and Enthusiastically   │                                │
│                        │                                │
│ Handling Questions     │                                │
│ and Answers            │                                │
└─────────────────────────────────────────────────────┘
```

大切なステップである練習に移る前に、まず、ここまでで作られたプレゼンテーションスクリプトをチェックしていきます。

　以下に、プレゼンテーションを最終チェックするためのチェック表を用意しました。ステップバイステップ方式のチェックは大変重要です。漏れている点がないかどうか、順番が適切かどうかなど、もう一度本番前に全体を通したチェックを行いましょう。

Check List
[チェックリスト]

■ The Introduction ［イントロダクション］	○／×
● Is there enough background information? ［背景情報は充分か？］ ● Are the presentation objectives clear? ［プレゼンテーションの目的は明確か？］ ● Is there a clear reason to listen? ［聞いてもらう理由づけがきちんとされているか？］ ● Is there a transition to the first key point? ［最初のキーポイントへのつなぎがあるか？］	

■ The Body［ボディ］	○／×		
【Present Logically】	Key Point 1	Key Point 2	Key Point 3
● Is the key point introduced clearly? 　［キーポイントがはっきりと紹介されているか？］ ● Are there sufficient supporting details to understand the key point? 　［キーポイントの補足説明が十分か？］ ● Are the supporting details presented logically? 　［補足説明が論理的になされているか？］ ● Is the significance or benefits of each key point clearly stated? 　［各キーポイントの重要性・利点が明快に述べられているか？］ ● Is there a transition to the next key point? 　［次のキーポイントへのつなぎがあるか？］			
【Maintaining Interest】	○／×		
● Mini Summary 　［ミニサマリーの使用］ ● Questions to the Audience 　［質問の投げかけ］ ● Comparisons 　［比較技法を使う］ ● Examples 　［例を使う］ ● Quotations 　［引用を使う］			
【Using Visuals】	○／×		
● Appropriate visuals for the size of audience? 　［聞き手の人数に応じたビジュアルエイドか？］ ● Simple, clear and visible design? 　［簡潔、明快で見やすくなっているか？］			

●Clear title or headline? ［タイトルや見出しがあるか？］ ●Only used key words? ［キーワードのみを使用しているか？］ ●Checked the spelling? ［スペルチェックがしてあるか？］ ●Items are in the order you will cover them? ［項目は順番通りか？］ ●Key message for the audience to remember? ［聞き手に覚えてもらいたいキーメッセージが表示されているか？］ ●All transparencies are numbered? ［各シートに番号がついているか？］	
■**The Conclusion**［結論］	○／×
●Is the main message repeated and emphasized? ［主たるメッセージがきちんと繰り返され、強調されているか？］ ●Can the audience clearly understand the action they should take? ［聞き手が、起こすべき行動を明確に理解できているか？］ ●Is there a 'Thank you' to the audience? ［感謝のことばがあるか？］ ●Is it appropriate to invite questions from the audience? ［質問を受ける旨を伝えているか？］	

```
Step 3:                    2. How to Practice Effectively
Practice and Deliver          効果的な練習の仕方

Check Structure
and Content                ■ Practice Out Loud
                             声を出して練習
How to Practice            ■ Practice Using Equipment
Effectively                  機材を使って練習
Deliver Clearly            ■ Time Your Presentation
and Enthusiastically         時間を確認
Handling Questions         ■ Get Feedback from Others
and Answers                  他の人に評価してもらう
                           ■ Revise If You Don't Feel Good
                             しっくりこない時は手直しを

                             Practice, Practice, Practice!
```

　プレゼンテーションの練習は、最低3回は行うことをお勧めします。
　前にも触れたように、とかく日本人の多くは、練習というと英語の表現が正しいかどうかのチェックをもって終わりとしたがる傾向が強いようですが、練習の持つ意義や役割は様々です。原稿(スクリプト)のチェックだけではなく、どうやったら効果的な発表につながるか、という観点から考えていきましょう。

(1) 練習の意義・役割

- 難しい言葉や言い回しの発音練習ができる。特に、専門用語などを使う場合、あるいは似通った発音で意味が全く異なるような場合には、注意が必要です。事前に正しい発音に慣れておくと良いでしょう。
- 各キーポイント間に入れる適切なつなぎ表現を事前にチェックすることで、全体の流れがスムーズにいくかどうかがわかります。
- どんなビジュアルエイドを使う場合でも、実際に使ってみて初めて不都合を感じることがあります。そのような不測の事態を避けるために、練習の

時から機器を使って行うことをお勧めします。
- プレゼンテーション全体の流れや順番が、イメージした通りになっているかどうかを確認することができます。
- 与えられたプレゼンテーションの時間の中で、どんな割り振りができるか確認することができます。
- 発表中のアクションやジェスチャーを考え、工夫することができます。

(2) 練習のコツ・ヒント

- 最初の数回は、間違いを気にせず、おおまかにプレゼンテーション全体の時間の流れと順番を確認するようにします。
- 練習の際はスクリプト(原稿)を用いることが多いでしょうが、プレゼンテーションすべてを丸暗記しようとしないこと。暗記によるメリットよりもデメリットの方がはるかに大きいのです。もし、暗記するのであれば、十分練習を行った後、最初のイントロダクションの部分だけを覚えてください。
- 肩の力を抜き、用意した材料(OHPやノートカードなど)に慣れるようにします。OHPの順番を確認しながら、ノートカードの使い方に注意しながら練習しましょう。
- 練習しながら、どうもしっくりこないところがある時は、手直しをします。
- 練習は、シャワーを浴びている時や電車に乗っている時など、短い時間をうまく活用しながら行ってください。
- 練習の際、同僚や友達、できればネイティブスピーカーに見て、聞いてもらい、意見を聞くと効果的です。あるいは、自分でビデオ録画したり、テープ録音して、チェックしてもよいでしょう。
- 機材を使う場合は、必ずその機材を使って練習しましょう。機材の使い方に慣れるだけでなく、問題点や不具合が見つかった場合の対処策も考えられるからです。
- マイクロホンを使う場合も、その練習を怠ってはなりません。全く同じマイクロホンを使うということはできないかもしれませんが、使い方には慣れることができます。

次ページからは、プレゼンテーションの練習、効果的な話し方のテクニック、及び自信にあふれた質疑応答の仕方について、アドバイスしていきます。

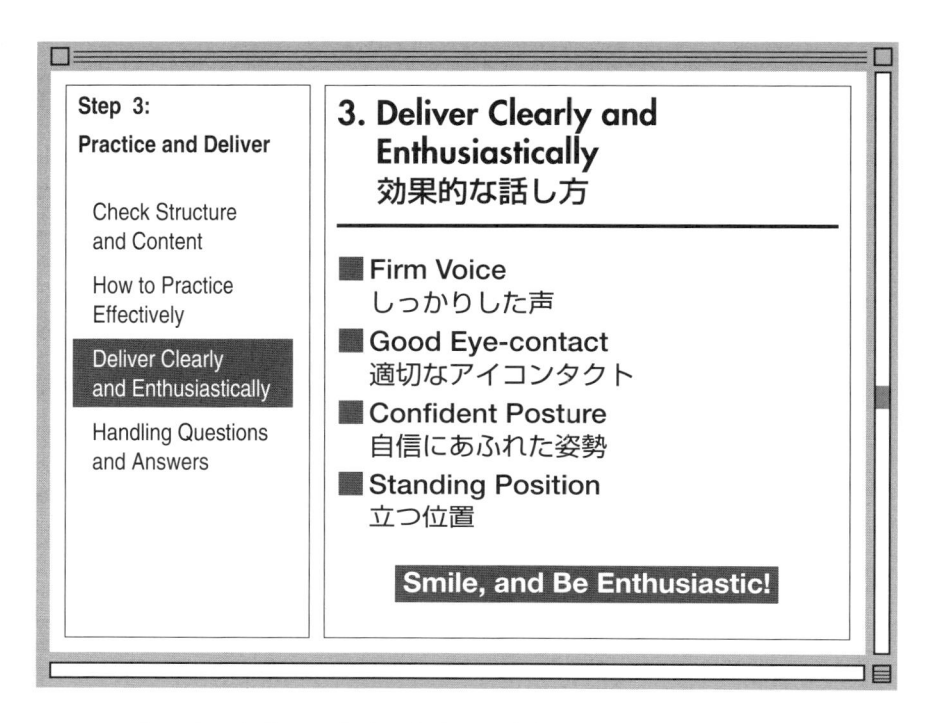

> **Step 3:**
> **Practice and Deliver**
>
> Check Structure and Content
>
> How to Practice Effectively
>
> **Deliver Clearly and Enthusiastically**
>
> Handling Questions and Answers
>
> ## 3. Deliver Clearly and Enthusiastically
> 効果的な話し方
>
> ■ **Firm Voice**
> しっかりした声
> ■ **Good Eye-contact**
> 適切なアイコンタクト
> ■ **Confident Posture**
> 自信にあふれた姿勢
> ■ **Standing Position**
> 立つ位置
>
> **Smile, and Be Enthusiastic!**

このパートでは、本番での成功に向けて、自信あふれるプレゼンテーションを行うための練習のコツと、本番直前最終チェックの主なポイントを学んでいきます。

(1) Firm Voice ［しっかりした声］

Speak Up and Slow Down ［大きな声で、ゆっくりと］

- プレッシャーを感じると、早口になったり声が小さくなりがちです。力強い口調で、ゆっくりと話すように心がけましょう。
- 一般的に、聴衆が多くなればなるほど、ゆっくりした速さが望まれます。聴衆が少ない場合、1分間に約140語程度のスピードで話すのが目安となります。
- 多くの聴衆を前にした場合には、話すスピードを1分間に約120語程度に落とした方がよいでしょう。

<注>以下の英文を1分間約120語の速さで読むと、30秒くらいかかると考えればよいでしょう。

By the end of my presentation I hope you will have enough information about the new range to understand what we mean by world beating performance and world beating prices. And I hope that you will see how the new facsimiles will enable you to beat the competition and to increase your market share throughout Australia.

Vary Your Voice ［声に変化をつける］
次の点に注意して、変化のある話し方を心がけましょう。
- 単調な話し方をしない。声のトーン（調子）を変えましょう。
- 話す速さに変化をつける。時には早く、時にはゆっくり話してみましょう。
- 重要な情報を伝える時には、力強い声で強調しましょう。
- ポーズ（間）をうまく使いましょう。変化をつける有効な手段となります。

(2) Good Eye-contact ［適切なアイコンタクト］
- 話している時、聞き手にアイコンタクト（視線）を送ることが重要です。視線を送ることで、聴衆に自分が話しかけられているという気持ちを起こさせ、興味・関心を持続させることにつながるからです。
- 窓を見たり、床に目を落としたり、部屋の後方だけに目をやり続けるようなことは避けましょう。
- 聞き手の1人に直接1〜2秒間視線を送り、それから他の人に視線を移し、やはり1〜2秒間視線を送るようにします。聴衆の人数が多い場合（100人以上の場合など）は、聴衆全体を10〜20人程度のグループに大まかに分け、それぞれのグループに交互に視線を送るようにするとよいでしょう。
- プレゼンテーションを通して、1人に1回は視線を送るようにしましょう。

(3) Confident Posture ［自信あふれる姿勢］
- 良い姿勢は、聴衆にプロらしく見せるだけでなく、自分自身にもプロだと自覚させます。
- 長いプレゼンテーションやスピーチの時は、特にバランスのとれた姿勢が欠かせません。姿勢が悪いと、体や声がすぐに疲れてしまい、その結果、聴衆の聞こうという意欲や気持ちをそぐことにもつながりかねません。

(4) Standing Position ［立つ位置］

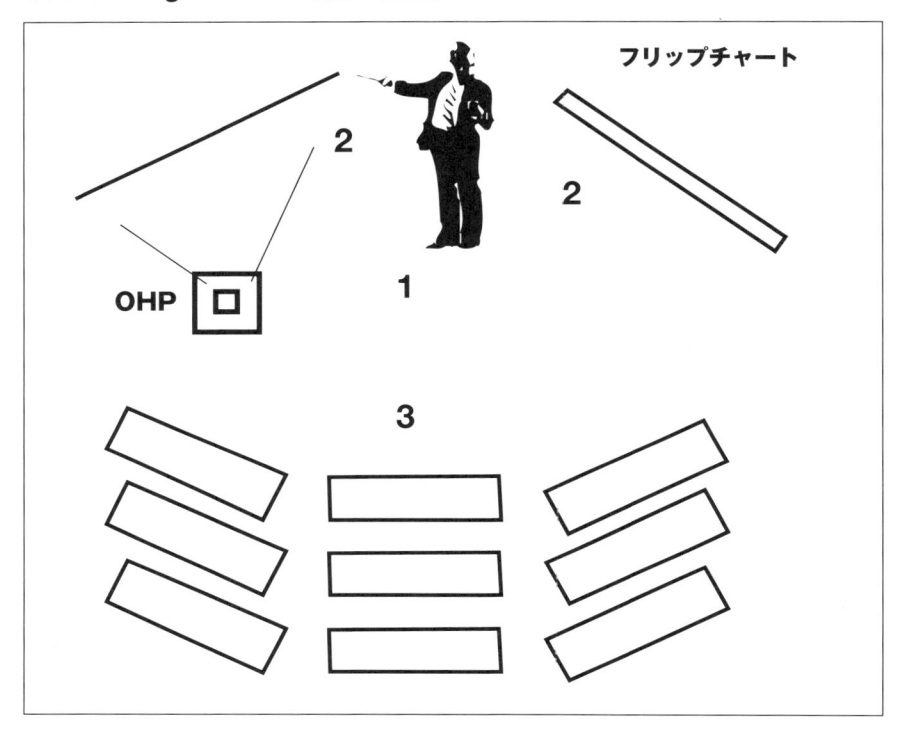

- 図の**1**のポジションは、メインとなる立ち位置です。プレゼンテーションを始める時、中身の核心を話す時、結論を述べる時に立つ場所です。
- **2**のポジションは、ビジュアルエイドや他のメディアを使う時に立つ位置です。この**2**のポジションは、フリップチャートの場合とOHPの場合では異なります。もし数種類のビジュアルエイドを使うなら、立つ位置が変わるということを覚えておいてください。
- **3**のポジションは、強調したい時、あるいは特別な効果をねらいたい時に立つ位置です。このような時には、聴衆に近づくことでその効果をねらいます。このポジションは説得力が増す位置ですが、慎重に使うようにしてください。

(5) Final Check［本番直前最終チェック］

本番直前の最終チェックでは、特に次の点に注意を払う必要があります。

＜会場到着前＞
- 体調に十分気をつけ、整えておきます。緊張しすぎず、かといってリラックスしすぎないように。
- もし発表当日より前に会場を見られるようであれば、下見をしておくとよいでしょう。会場までの時間、会場の雰囲気、会場の大きさなどを前もって知っておくと便利です。
- 主催者に、当日の開始時間前に練習できるかどうか、準備の時間がどれだけあるか、確認しておきます。
- 当日の配布資料がある場合は、その準備と会場への配送。
- 当日は、準備と練習のため、早めに会場に到着するようにします。

＜到着後＞
- 主催者との最終的な打ち合わせ。
- 機器のチェック。特に、OHPでは予備電球の用意、スクリーンの位置、照明装置の取り扱い方などを確認します。
- 会場のレイアウトと空調のチェック。
- マイクの音量調整と会場内の音のチェック。
- 時間が許せば、イントロダクションを練習します。
- 配布物のチェック。数、渡し方、配布のタイミングなどを決めておきます。

```
┌─────────────────────────────────────────────────┐
│  Step 3:              │ 4. Handling Questions   │
│  Practice and Deliver │    and Answers          │
│                       │    質疑応答のコツ       │
│  Check Structure      │ ─────────────────────── │
│  and Content          │                         │
│                       │ ■ Rephrase and Repeat the Question │
│  How to Practice      │   質問を言い換えたり繰り返す │
│  Effectively          │ ■ Answer to the Whole Audience │
│                       │   聴衆全体に向かって答える │
│  Deliver Clearly      │ ■ Confirm You Answered the Question │
│  and Enthusiastically │   質問に対して答えられたか確認する │
│ ┌───────────────────┐ │                         │
│ │ Handling Questions│ │ ┌─────────────────────┐ │
│ │ and Answers       │ │ │ Answer Clearly, and With Confidence │
│ └───────────────────┘ │ └─────────────────────┘ │
└─────────────────────────────────────────────────┘
```

英語が母国語でない人にとって、英語でプレゼンテーションを行うのは大変なことです。ましてや、聞き手・聴衆からの質問を理解し、返答するのはさらに難しいことです。英語のネイティブスピーカーの多くは話すのが早く、難しい質問を投げかけ、時に反論を試みます。従って、回答するのに思いのほか時間がかかったり、その場で即答するには十分な情報を持ち合わせていない場合もあります。このような場合には、どう対処したらよいでしょうか。

▼

次の3つのステップをお勧めします。実に効果的な方法です。

Step 1: Rephrase and Repeat the Question
　　　　［質問を言い換えたり繰り返す］
Step 2: Answer to the Whole Audience
　　　　［聴衆全体に向かって答える］
Step 3: Confirm You Answered the Question
　　　　［質問に対して答えられたかどうか質問者に確認する］

このステップの例を見てみましょう。
Example
Q: "So do you think that the new products planned for next year will decrease, maintain or increase our overall profitability?"
［質問：そうすると、来年度の新製品計画によって全体の利益は減少するのか、現状維持か、それとも増加するのかという点についてはどうお考えですか？］

答え方の例：
Step 1: まず、出された質問を言い換えて繰り返します。
　　　　"So your question is how will the new products affect profitability. Is that right?"
　　　　［ご質問は、新製品が利益にどう影響するか、ということですね？］
Step 2: 質問者だけでなく、聴衆全体に答えてください。
　　　　"I believe that the new products will help us to achieve 10% profit growth."
　　　　［この新製品で利益10%増を達成できると確信しています。］
Step 3: 次のような表現で、質問に答えられたか確かめてください。
　　　　"Is that OK, did I answer your question?"
　　　　［これでよろしいですか？　ご質問にお答えできたでしょうか？］

ヒント
▶ もし答えがわからない、即答できないといった場合は、次のような表現を使うとよいでしょう。
　　"I'm sorry, I can't answer that question right now. But I will contact my office and give you an answer later today. Is that OK?"
　　［申し訳ありませんが、いまこの場でその質問にはお答えできません。後ほど会社に連絡を取り、お答えしたいと思います。それでよろしいでしょうか？］
▶ 質問には簡潔明瞭に答えるよう心がけます。もし、時間がなく、すべての質問に答えられない場合は、後でEメールなどで答える旨を伝えるようにします。

Example Phrases

1) "I'm sorry, could you repeat the question, please?"
［失礼ですが、質問を繰り返していただけますか？］

2) "I understand your point, however I think you will agree that...."
［おっしゃる点はわかりますが、……には同意していただけるものと思います。］

3) "So you are worried that sales will go down if we use this recommendation. Is that right? Did I understand correctly?"
［あなたが懸念されているのは、この提案を採り入れると売り上げが落ちるかもしれないということですね。そういうことですね？　間違いありませんか？］

4) "Actually, my colleague Mr. Takemoto will be able to answer that question for you. I will ask him to contact you this afternoon."
［実は、私の同僚の竹本なら、そのご質問について回答できます。今日の午後、彼から連絡させるようにいたします。］

5) "So you feel that the results of our survey indicate a different marketing strategy is needed? Is that right?"
［私たちの調査結果から、他のマーケティング戦略が必要になるだろうとお感じなのですね？　そういうことですか？］

6) "So you had difficulty in understanding how the system works? Let me try to explain that in more detail."
［このシステムがどのように機能するか、わかりにくかったわけですね？　それでは、もう少し詳しく説明いたしましょう。］

7) "Actually, I don't have that information here right now. Can I fax details to you later?"
［実は、いまはその情報を持ち合わせていません。後ほど、その詳細をファックスさせていただけますか？］

8) "Is that OK? Did I answer your question?"
［これでよろしいですか？　ご質問にお答えしましたか？］

9) "I'm not sure if I fully answered your question...."
［ご質問に十分にお答えできたかわかりません。］

■When to Have a Q&A Session ［質疑応答を行うタイミング］

- 知識を提供することを目的とする「情報提供型」のプレゼンテーションの場合、質問を受けるのは、プレゼンテーションのどの段階でもかまいません。そうすることで、相手の理解が確認できます。聞き手・聴衆に考え方を変えてもらったり、行動を起こしてもらうことが目的の「説得型」のプレゼンテーションの場合は、プレゼンテーションの最後に質問を受ける方がより効果的です。
- プレゼンテーションの開始時に、聞き手に対して、いつ質問を受けるかを伝えることが大切です。
- 質疑応答を行う時間帯を図示しますと、以下のようになります。

◆Standard Style ［標準的な場合］

| Introduction | → | Body | → | Conclusion | → | Q&A |

◆Informative Style ［「情報提供型」の場合］
- Involve the audience and check understanding ［聴衆を引き込んで、理解度を確認する］

| Introduction | → | Body | → | Q&A | → | Conclusion |

◆Persuasive Style ［「説得型」の場合］
- Repeat your conclusion after the Q&A ［質疑応答の後、結論のポイントを再度繰り返す］

| Introduction | → | Body | → | Conclusion | → | Q&A | → | * Repeat Conclusion |

＊ここの結論では、質疑応答の前に行った結論をそのまま繰り返すのではなく、キー情報だけを繰り返すようにします。

In Summary ［まとめ］

Section 1　Preparing the Presentation
プレゼンテーションを書く

　グッドプレゼンターと言われる人たちは、準備と練習に多くの時間を割いています。もちろん、そうなるためには、長年にわたる経験も必要でしょう。しかしながら、本書にある基本の3つのステップに従えば、優れたプレゼンテーションが準備でき、近い将来、必ずやグレートプレゼンターとなることができるでしょう。

　3つのステップを簡潔にまとめておきます。もう一度復習しておいてください。

Step 1
プレゼンテーションを分析する［Presentation Analysis］
- 聞き手・聴衆
- ねらい・目的
- 内容・中身

Step 2
プレゼンテーションを書く［Create the Presentation］
- 説得力ある開始
- 論理的な展開
- 聞き手の注意・興味を引く
- ビジュアルエイドの活用
- 説得力ある結び

Step 3
話し方・伝え方を練習する［Practice and Deliver］
- 構成と中身のチェック
- 練習の仕方
- 効果的な話し方(声、アイコンタクト、姿勢、立つ位置)
- 質疑応答のコツ

The Great Presenter

Section 2

Strategies for Success
成功のための有益情報とヒント

- **Tip 1:** 状況別論理的展開についての
  ヒント・注意事項
- **Tip 2:** 難しい局面での有益な
  ヒント・テクニック
- **Tip 3:** 文化・地域・国別の対応情報と
  アドバイス
- **Tip 4:** 聞き手・聴衆の分析の詳細

The Great Presenter

本セクションでは、プレゼンテーション作成のプロセスで役立つ情報や、できあがったプレゼンテーションにより深みを加える方法、難しい局面での対処の仕方など、様々な有益情報やヒント・テクニックを紹介しています。その目的や場面、状況に、より適したプレゼンテーションを作る際の参考にしてください。

1. 状況別論理的展開についてのヒント・注意事項

1）Presenting to Overseas Distributors（海外販売代理店に対する新製品の発表）
2）Presenting Research at an International Conference（国際会議における研究成果の発表）
3）A Sales Presentation—The Ideal Product（セールスプレゼンテーション—理想的な製品と比較する）
4）A Sales Presentation—Show You Understand the Customer's Need（セールスプレゼンテーション—顧客ニーズを理解していることを示す）
5）Making a Recommendation to Management（マネジメントへの提案）
6）Asking Management for Project Funds（マネジメントへのプロジェクト予算要求）
7）Presenting Performance Evaluations to Management（マネジメントへの業績評価の発表）

2. 難しい局面での有益なヒント・テクニック

1）聞き手全員が、必ずしも同じ情報を求めていない場合。
2）プレゼンテーションの最中に、何について話しているか、突然忘れてしまった場合。
3）プレゼンテーションの最中に、顧客が異なった内容のプレゼンテーションを望んでいることがわかった場合。

3. 文化・地域・国別の対応情報とアドバイス

さらに国や地域の特性を加味して、それぞれにふさわしいプレゼンテーションを作り上げるための有益情報やヒント。

4. 聞き手・聴衆の分析の詳細

Section 1e の Step 1 で行った聞き手・聴衆の分析の詳細説明（P.24〜26参照）。

TIP 1 Presentation Structures
状況別論理的展開についてのヒント・注意事項

Ex.1 Presenting to Overseas Distributors
[海外販売代理店に対する新製品の発表]

プレゼンテーションを行うセールスパーソンとエンジニア双方に役立つテクニックは、まず理想的な製品、あるいはサービスについて話し、その上で自分の製品やサービスがその理想にどのように適合しているかを示すことです。

Introduction
製品(サービス)とターゲット市場を紹介し、その製品がなぜ市場で成功を収めることができるのか、その理由を提示する。

Body
1) 製品とターゲット市場を簡潔に説明し、市場でなぜこの製品が成功を収められると確信できるのか、その理由を述べる。
2) 市場で求められている理想的な製品(サービス)と比較しながら、自社の製品のキーになる特徴や機能を伝える。
3) これらの特徴や機能がエンドユーザーにどんな恩恵・利点をもたらすのかを強調し、市場でなぜこの製品が最良であるかの理由も強調する。
4) 代理店が販売・マーケティングキャンペーンを計画するための必要情報を提供し、国別、及び世界レベルで行おうとしている宣伝活動を伝える。

Conclusion
再度、ターゲット市場や製品の特徴、ラインアップ、それに製品が市場のニーズに合っていることを要約する。最後に注文をお願いすることを付け加えるのを忘れずに。

Ex.2 Presenting Research at an International Conference
[国際会議における研究成果の発表]

会議での発表者がしばしば犯す間違いは、研究の明確な意義やそれがもたらす利益に触れることなく、あまりにも多くの詳細を発表しすぎることです。その結果、聞き手がそのプレゼンテーションに対する興味を失ってしまう恐れがあります。以下に、聞き手の注意・関心をプレゼンテーションに引きつけるための有益な組み立てを示します。

Introduction 　研究成果・結果の主な特徴や利点を話す。

Body 　研究の詳細を話し、特徴や利点を明確に提示する。
1) これまでに他の企業や研究者によって立証された研究成果の輪郭を描く。
2) それらの研究成果の問題・限界を示す。
3) 自分の研究が意図するゴールを明確にする（例えば、いままでの技術上の問題・限界を克服するなど）。
4) 研究結果の明確な意義や利益を詳述する（ここでは明確でわかりやすいビジュアルエイドが必須です）。

Conclusion 　研究成果・結果の主な特徴や利点を繰り返す。

Ex.3 A Sales Presentation—The Ideal Product
[セールスプレゼンテーション―理想的な製品と比較する]

プレゼンテーションを行うセールスパーソンにとって役立つテクニックは、例1の場合と同様に、まず市場で受け入れられやすい理想的な製品、あるいはサービスについて話し、その上で自社の製品やサービスがそれにどれだけ近いものかを示すことです。

Introduction 理想的な製品・サービスの機能や特色を述べる。

Body
1) 自社の製品・サービスの機能、特徴、利点などを説明する。
2) これらの機能や利点が業界水準に比較してどうなのか、市場で受け入れられる性能を備えているか、さらに競合他社製品やサービスより優れている点はどういったところか、などを示す。
3) 顧客がこれらの機能や利点をどのように利用することができるかを強調し、自社の製品・サービスが他社のものに比べ、最も優秀である理由を強調する。

Conclusion 特徴と利点を要約し、理想的な製品・サービスと比較して、自社の製品がいかにそれに近いかを示す。

Ex.4 A Sales Presentation—Show You Understand the Customer's Needs
[セールスプレゼンテーション─顧客ニーズを理解していることを示す]

このテクニックは、セールスパーソンが最もよく使うものです。しかし、セールスパーソンでなくても非常に有用なテクニックです。これは、顧客の要望を自分が十分把握していることを繰り返し強調すること、さらに自分の理解が正しいかどうか質問することによって、その顧客の要望をよく理解していることを明確に伝えるテクニックです。

Introduction 顧客のニーズを自分が把握していることをはっきりと示す。

Body
1) まず顧客のニーズを書いたビジュアルエイドを表示し、解決策を書き込むスペースを空けておく。ここでは次の2)と併せて2つのビジュアルエイドを使うと効果的。

Conclusion

2) 次に自社の製品・サービスの機能、特徴、利点などを示したビジュアルエイドを用意し、それらが顧客のニーズにいかに関連しているかを説明する。

3) 最初に用意したビジュアルエイドの書き込みスペースに、ニーズを満たす解決策を書き入れていく。または、事前に用意しておいた、解決策を書き入れたビジュアルエイドを重ねて表示する(P.82の活用)。

その製品・サービスの特徴と利点を要約し、それらが顧客のニーズにどのようにこたえているかを強調する。

Ex.5 Making a Recommendation to Management
[マネジメントへの提案]

この組み立ては、マネジメントに対する提案を説得スタイルで行なう際に使うことができます。この場合、マネジャーの視点から考えることが非常に重要です。マネジャーはどのような情報を聞きたがるでしょうか？ 提案する内容が決まったら、次の組み立てを使ってみてください。

Introduction

1) どんなテーマに関して提案するつもりであるかを明確に伝える(特定の問題の解決、マーケットシェアの拡大、ある目標の達成など)。

2) 聞いてもらうための理由づけを明確にする。

Body

1) 現状を説明する。例えば、マーケットの状態、そのマーケットでの自社の業績、現在自分が抱える問題点、自分の現在の戦略、現在の戦略の限界など。

2) 提案する、そしてその提案が問題をどう解決するか、種々の目標をどう達成するかを説明する。自分の提案を選択するメリットを強調する。

3) 否定的な面を隠さない。その否定的な面を論じ、それをどのように克服できるのかを示すことが重要。

Conclusion　提案とそれから得られる利益を繰り返して終える。自分の提案を実行する承認を求める。

Ex.6 Asking Management for Project Funds
[マネジメントへのプロジェクト予算要求]

研究や開発を担当するエンジニアは、新しいプロジェクトの予算や現在のプロジェクトを継続するための予算を要請する必要がしばしば生じます。これは必ずしも容易なことではありません。多くのマネジャーは、プロジェクトへの投資から得られる利益について、明確で専門的に偏らない情報を、そして最終的に製品化された場合のマーケットの可能性を知りたがります。この場合、以下のような組み立てが有用となるでしょう。

Introduction　プレゼンテーションを行なう理由、経営者があなたのプロジェクトに投資すべき理由、プロジェクトから見込まれる利益を明確に伝える。

Body
1) プロジェクトの背景を簡潔に説明する。なぜそれを始めたのか、どのような困難があるのか、これまでどのくらいの時間を費やしてきたのか、進捗状況はどうかなどについて伝える。
2) 取り組んでいる研究の次の段階が何かを話す。どれくらいの人的資源・予算が必要とされるかを明確にする。どれくらいの期間を要するかを伝える。自分が達成したい結果を述べる。
3) その最終製品がなぜ顧客にアピールすると思われるか、その理由を明確にする。もし、そのプロジェクトが途中で頓挫してしまうと、どういうことが起こりえるかを話す。
4) プロジェクトを続行することによる利益を明確に提示する。コスト分析に関しては、念には念を入れて明確にする。経営者が意思決定できるように情報を提供する。

Conclusion

プロジェクトに投資すべき理由と期待される利益を繰り返し述べ、予算を出してくれるように繰り返してプレゼンテーションを終える。

Ex.7 Presenting Performance Evaluations to Management
[マネジメントへの業績評価の発表]

最もよく行われる業績評価のプレゼンテーションは、担当業務に関するもの、担当部門に関するもの、事業全体に関するものです。いずれの場合にも、話す内容をマネジャーの視点で考えることが重要です。言い換えると、自分がマネジャーだったら、どのような情報が必要なのかを考えるということです。これら3つのケースは、それぞれ少しずつ異なりますが、いずれの場合にも基本構成は次のようになります。

Introduction

1) プレゼンテーションの目的を話すことから始める。
2) 該当期間に達せられた結果を明確に伝える。
3) プレゼンテーションの内容の概略を述べる。
4) 聞き手が期待する情報かどうか確認する。

Body

1) 該当期間における部門の当初の目標を振り返る。
2) その期間にどういうことが起きたかを説明する。例えば、マーケットの状態、そのマーケットにおける自部門の業績を述べる。自部門が取った戦略や、その戦略をどのように実行したかを話す。問題点とうまくいった点を伝える。選択した戦略の限界とメリットを述べる、など。
3) 現況を説明し、次期の見通しを述べる。
4) 自分の目標・計画を述べ、どのようにそれらを達成しようとしているのかを説明する。その目標を達成するために必要なものや事柄を要請する。

Conclusion

該当期間の主な結果を繰り返し、それから次期の計画を述べることで終える。必要とされる人的資源・予算、あるいは経営者に望む行動について繰り返す。

TIP 2 What to Do When
難しい局面での有益なヒント・テクニック

このパートでは、プレゼンテーション研修中に受講者から受ける多くの質問の中から、特に参考になるものに回答することにします。以下に挙げるテクニックは、読者が国際プレゼンターとしてのキャリアを積む上で、有益な情報になるでしょう。

《ケース1》
聞き手全員が、必ずしも同じ情報を求めていない場合

これはよくあるケースで、特に、設計エンジニアが顧客先でプレゼンテーションを行う際などにありがちです。

例えば、ある顧客に対して、新しい応用型メモリーチップについてプレゼンテーションをするとしましょう。聞き手は、その会社の各エンジニアリング部門から出席する15名ほどです。これまでの経験から、各部門の出席者はそれぞれ違う情報を聞きたいということがわかっています。例えば、ある人たちは、特定の応用型メモリーについて学びたいのかもしれませんし、ある人たちは、次世代のマイクロプロセッサーについて聞きたいかもしれません。また、他の人たちは、1MB DRAMに関する進展について聞きたいのかもしれません。そういうことが仮にわかったとしても、3つの異なったプレゼンテーションを同時にすることはできません。さて、そういう場合にはどうしたらよいのでしょうか？

《回答》
そういう場合には、自分のプレゼンテーションから何を得たいのかを聞き手にたずねることから始めることです。彼らの言うことをホワイトボードに書き出します。それから、自分が話す内容を伝えます。その上で、今回触れない領域については、あらかじめ断わりをします。

それに加えて、今回のプレゼンテーションで扱えない領域については、近日中に別途にプレゼンテーションをすることを約束します。そうすることで、必ずしも聞き手全員が、今回のプレゼンテーションで望んでいる情報を得られなくとも、彼らは自分たちのニーズが伝わっていることが確認できたので、今回のプレゼンテーションにあまり興味が持てない場合でも、満足してもらえる可

能性が高まります。

《ケース2》
プレゼンテーションの最中に、何について話しているかを突然忘れてしまった場合

事前にしっかりと練習したとしても、プレゼンテーション中に、突然、頭の中が真っ白になってしまうことがあります。いま話したことを思い出せなかったり、次に言うことを忘れてしまうというような場合です。

《回答》
1）パニックに陥らないこと。そのような時は、「何か質問はありますか？」とたずねましょう。そうすることで、考える時間が稼げ、落ち着くことができます。
2）もしそれでもだめだったら、これまで話したことを簡単にまとめてみましょう。そうすることで、話しの流れに戻れるかもしれません。
3）質問をたずねたり、簡単なまとめをしても思い出せない場合には、聞き手に自分がいま何について話していたかをたずねてみましょう。そうすると、例えば次のように答えてくれるでしょう。

"You were explaining how the service network enables you to give an immediate response to equipment failures."［あなたがいま説明していたのは、サービスネットワークがどのようにして機器の不備などに対して早急な対応ができるか、ということです。］

　答えてくれた人にお礼を言ってから、その先を進めます。もしノートカードを使っているなら、流れに戻ることができ、問題なく進められるでしょう。

《ケース3》
プレゼンテーションの最中に、顧客が別の内容のプレゼンテーションを望んでいることがわかった場合

このようなことは、時々、セールスパーソンに起こります。例えば、新規顧客にソフトウェアの説明をしているとします。そのソフトウェアは、ある特定の用途のために設計されています。しかし、相手は違うタイプのソフトウェアに関する質問を始めます。その時点で、突然、いま自分が説明しているソフトウェアが、相手の求めているものでないことがわかるような場合です。この場合には、どう対処すればよいのでしょうか。

《回答》

あきらめないでください。その相手に、自分が説明しているソフトウェアが求めているものと違うようだということを伝えてください。その上で、相手の求めているものが何かをたずねるようにします。この場合の適切な対処の仕方は、相手にとって理想的なソフトウェアが何かを把握することです。相手の言うことをメモし、こちら側の製品と比較します。例えば、

相手の要望	こちらの製品
A …………………	OK
B …………………	×
C …………………	×
D …………………	OK

という具合です。

こうすることで、相手が何を求めており、自分の製品(あるいはサービス)がその要望にどの程度合致しているかが明確になります。そして、そのままプレゼンテーションを続行するか、または、他のソフトウェアパッケージを説明する機会を別に設けてくれるよう頼むのか判断することができます。

その際には、次のような表現が有用です。

"If I can show you a software package that fully meets all these requirements, would you be interested?" 〔(いま確認した)これらの要望に合うソフトウェアパッケージをお見せできるとしたら、興味がおありですか?〕

こうすることで、今回説明したソフトウェアが相手の求めるものに合致していなくても、相手は自分の要望が理解されていると確認でき、こちらとしては次回のミーティングで適切なソフトウェアを紹介することができるのです。

TIP 3　Country by Country
文化・地域・国別の対応情報とアドバイス

ここからは、地域や文化、あるいは国によって異なる文化背景やコミュニケーションの違い、などを取り上げます。プレゼンテーションの構成や話す際の有益なヒントとして活用してください。

地域別の聴衆に応じた話し方のヒント

Presenting to a Western audience ［西欧人に対して］
- 提案の中身が、現在か短期の利益に焦点を当てるように話す。
- 早めに話の要点に入る。
- 提案の裏付けには、最新のデータや統計を用意する。
- 提供するすべての情報に関して、明確な意義、利益、効用を述べる。
- シンプルなプレゼンテーションを心がけ、重要な数字やデータに焦点を絞る。
- 背景の理由や解説が、はっきりと理解されるようにする。
- ビジュアルエイドは、明瞭かつシンプルであることを重視し、キーポイントに絞る。
- もし相手の意思決定を求めたいのならば、そのことを明確にする。
- 質問を受ける時間を取り、十分に応答する。
- しっかりした声で話し、視線をしっかり合せる。

Presenting to an Asian audience ［アジア人に対して］
- 自社の歴史や実績、将来の目標について話をする時間を取る。
- パートナーシップや協力関係について話す。
- 提案事項の長期的な利益に焦点を当てる。
- 自社の、努力を惜しまない前向きな姿勢について話す。
- 聴衆の地位をよく見極める。最も年上の出席者のニーズにこたえるように努める。
- ビジュアルエイドは、シンプルなものがよい。誤解を避けるために、言葉による説明でしっかり補足する。
- その場の意思決定を求めない。総意による意思決定のための時間を考慮する。
- ビジネスでは形式が重要なので、その地の儀礼に慣れるように心がける。

- しっかりした声で、ゆっくり、はっきりと話すようにする。
- 心なごむ雰囲気を作るようにする。

Presenting to a Latin American audience ［ラテンアメリカ人に対して］
- 提案する事項が、現在及び長期的な利益につながることを強調する。
- 当該プロジェクトに関与するメンバーや人員について説明する。
- 自分自身がどういう人物であるかを伝えることが重要である。
- 相手との間に信頼関係、協力関係を築くことに焦点を当てる。こちらの忠誠心を示すように心がける。
- 提案することが、相手の生活の質の向上につながることを強調する。
- 一般的に、変化やハイリスクは嫌われる傾向にあるので、過激な提案は避ける。
- ビジュアルエイドは、鮮やかで印象的なものがよい。
- 形式が重んじられ、歓待は重要な要素である。その地の慣習に慣れるように心がける。
- 相手の質問は情緒的であり、時に論争的であるが、プレゼンテーションは一般的にフォーマルである。

■ コミュニケーションスタイル（タイプ）とその特徴

各国のプレゼンテーションスタイルは、その国のコミュニケーションスタイルに影響されています。コミュニケーションスタイルは、一般的に「ハイ（高）コンテクスト」、「ミドル（中）コンテクスト」、「ロー（低）コンテクスト」の3つのグループに分けられます。「コンテクスト」というのは、言語でやりとりされる情報量と非言語要素（地位、これまでの関係、沈黙、アイコンタクト、ボディランゲージなど）でやりとりされる情報量のバランスを指し、つまり、ロー＞ミドル＞ハイの順で言葉による要素を重視します。

ローコンテクスト

アメリカのようなローコンテクスト文化では、コミュニケーションの真意は、非言語要素よりも発せられた言葉にあります。通常、コミュニケーションは直接的で、情報交換の手段とみなされます。また、問題が生じると、その問題にかかわる人間関係というよりも、問題そのものに焦点を当てようとする傾向が

あります。普通、相手から与えられる指示や取るべき行動指針は極めて詳細です。要求はストレートで、概して裏の意味はありません。

ハイコンテクスト

日本のようなハイコンテクスト文化では、コミュニケーションの真意は、発せられた言葉よりもむしろ非言語要素にあると言えます。通常、解決されるべき問題そのものよりも、人間関係に重点がおかれ、コミュニケーションは間接的です。指示に関しては、特定の人間関係や社会関係といった中から慣例的に示され、暗黙のうちに取り決められる、というケースが多いため、常に明確にされるわけではありません。

ミドルコンテクスト

南ヨーロッパのようなミドルコンテクスト文化では、コミュニケーション上の真意は使われた言葉と、その人の話し方を始めとする非言語的要素との組み合わせによります。情報の伝え方については、相手の国の基本的なコミュニケーションスタイルによって異なります。相手によりハイコンテクストまたはローコンテクストのどちらで話すのかを考え、状況に応じてプレゼンテーションを調整する必要があります。

■ 対象地域別コミュニケーションの特徴

アメリカとカナダ

両国ともローコンテクスト文化なので、言葉と意味の明確化に重きを置きます。アメリカは、気取らず直接的な傾向があります。カナダでのビジネスは少しフォーマルです。

　アメリカでは、人々は自分の意見を自由に発言します。また対立は個人主義的な態度の現れだと見られており、面と向かって反対しても不快の原因となることはありません。反対はしばしばポジティブに見られ、変化や進歩の原動力になると受け取られます

　ビジネス遂行上のスケジュールや締切とともに、効率性と時間厳守が重要です。アメリカ人は短期の生産性と目標に力点を置きます。カナダ人も短期を重視しますが、もう少しゆっくりしたペースのビジネスをします。

ヨーロッパ

ヨーロッパにおけるコミュニケーションスタイルは様々です。ドイツ、スイス、スカンジナビア諸国はローコンテクストで、その他のヨーロッパは、一般的にミドルコンテクストです。ほとんどのヨーロッパ人は、はっきりと表現する人を評価します。北欧の人たちは、控えめなプレゼンテーションを好み、フランスや南欧の国々は、雄弁な人を好みます。ヨーロッパ人は生活の質に価値を置きます。普通、休みは家族と過ごし、伝統や文化を重んじます。

中近東

コミュニケーションスタイルはハイコンテクストです。電話やファックスによる交渉よりも、面と向かった話し合いを好みます。社会的立場によって、話し手の口調が決まってくることが多々あります。中近東の生活は歴史と伝統に根ざしており、進歩と変化よりも習慣を維持しようとします。日本に比べて、ビジネスのペースは遅く、効率性を重んじる度合いは低いです。仕事は、家族の都合によって中断されることがあります。中近東では、ビジネス上の人と人の間の距離がかなり近いのが一般的です。これは、日本人の尺度からすると、近寄りすぎと見えるかもしれません。

アジア

韓国はミドルコンテクストですが、一般的にアジア諸国はハイコンテクストと言えます。直接的な質問がなされることも時々ありますが、正式な場面では、曖昧で間接的なコミュニケーションが一般的です。対立よりも調和に価値を置きます。地位と階級が重要で、上司と部下の間には、はっきりとした「力関係」があることが一般的です。長期思考と人間関係作りに力点が置かれます。

南米

コミュニケーションスタイルはハイコンテクストでフォーマルです。しかし、時に感情的で議論好きなところもあり、雄弁さが強調されます。ビジネスでは、長期的な関係を通して信頼が作られます。スケジュールや時間に関しては比較的柔軟です。南米では、ビジネス上の人と人との距離がかなり近いことが多く、日本人の尺度からすると、近寄りすぎと思えるかもしれません。

国別（アルファベット順）プレゼンテーションのヒント

アメリカ人対象のプレゼンテーション

考慮すべき大切なポイント
- 事実、問題、チャンス、解決案を中心にしたプレゼンテーションを構成します。
- 必要な時は、いつでも相手に決定を求めるようにします。
- 質問を予想しましょう。
- 討議の時間を取ります。
- 聴衆の間でも話し合ってもらうようにします。

有益なヒント
- ユーモアを使います。
- 聴衆を巻き込むようにします。
- 情報を伝えることが大切で、単にチャートを読まないようにします。
- 日米の違いを強調しないようにしましょう。違いを強調しすぎると、聴衆に不快感を与えることがあります。一般的に、違いを明らかにするのは決定や行動の裏付けとして、あるいは問題解決を促すような場合に使われます。
- 単なる単語や数字の羅列よりも、グラフィックを使いましょう。
- プレゼンテーション効果を最大限にするために、図表にラベルを使ったりキーポイントを書きます。
- プレゼンテーションを書いたら、十分に練習しましょう。

マーク・J. シムス氏からのアドバイス
（マーケティング／セールス担当副社長
日本ケロッグ株式会社）

アルゼンチン人対象のプレゼンテーション

アルゼンチンの人々は、ヨーロッパの影響が強いためか、新しい考え方に対してはあまり寛容ではありません。他のラテンアメリカ諸国同様、個人的な関係が重視されるので、行為そのものよりその結果の方に重点が置かれます。官民問わず、議論好きであるため、雄弁さが好まれます。

オーストラリア人対象のプレゼンテーション

プレゼンテーションには完璧さが求められます。情報や問題領域を隠さないようにしてください。オーストラリア人は概して目標、生産性、利益に興味を示します。話をする時は、直接的で要点をつくようにします。会合では、軽い話（例えば、スポーツ、オーストラリアの風景などについて）をしてからただちにビジネスに入ります。相手をファーストネームで呼びますが、そうしてくださいと言われるまでは待つようにしてください。

ブラジル人対象のプレゼンテーション

プレゼンテーションは才豊かに行なうことが求められます。例えば、発表スタイルにはジェスチャーを交え、少し情熱的で、雄弁さが求められます。ブラジルは堅苦しくない国で、人々は温かく友好的です。リラックスして行ってください。

イギリス人対象のプレゼンテーション

プレゼンテーションは事実に基づき、技術やマーケティングの詳細を盛り込むことが大切です。すぐに同意を求めないようにして、考える時間や話し合いの時間を取るようにしましょう。相手は当然、あなたの英語力が高いものと考えるので、誤解を避けるために質問をしたりして確認するようにしましょう。

カナダ人対象のプレゼンテーション

概してアメリカ人対象の場合に準じます。しかし、発表する時のスタイルは、もう少し保守的にしてください。話をする時は、直接的で要点をつくようにして、情報を明確にします。

中国人対象のプレゼンテーション

中国は形式を重んじる国です。名刺を交換し、地位や身分に注意を払いましょう。ソフトセル法（長所・利点を間接的に訴える方法）を使いましょう（例えば、プレゼンテーションの時、押し付けがましくしないなど）。しかし、その後は厳しい駆け引きに備えてください。1回だけで性急な結果を求めるプレゼンテーションよりも、長期的なかかわりを求める点を強調しましょう。

エジプト人対象のプレゼンテーション

欧米的思考に対しては、他のアラブ諸国よりはオープンです。すべての問題は

イスラムの教義で決定されるので、考慮する必要があります。個人的な印象や直感がわりあい重視されるので、人となりを前面に押し出すようなプレゼンテーションや、詩的・情緒的表現が好まれる傾向があります。

フランス人対象のプレゼンテーション

プレゼンテーションはフォーマルで、情報量が多く、合理的で、芝居がかっていないものが求められます。論理的展開を心がけ、数字については身近なものに置き換えるようにします。フランス人は議論好きですが、それは議論を深めるためのものと考えるべきでしょう。交渉には長い時間を要すると考えてください。

ドイツ人対象のプレゼンテーション

ドイツ人は、専門的で事実に基づいた情報を好みます。プレゼンテーションは具体的で、情報量に富み、現実的で、よく練られたものが求められます。形式を重んじましょう。ビジネスの話がついた後、他国では一般的な、個人的な関係作りがここでは少々難しいですが、心配しないでください。

オランダ人対象のプレゼンテーション

データ、数字、事実を伝えます。自慢話は避けましょう、しかし他の国、あるいは他の顧客との間で成功してきたことは話してもよいでしょう。ただし誇張しないように注意し、しっかりとした関係を築くために周到な準備をするように努めましょう。また、約束は必ず守るようにしましょう（もし何かをすると言ったら、それを実行すること）。

インド人対象のプレゼンテーション

プレゼンテーションでは、事実を述べ、現実的な案を盛り込むことが求められます。最高位の人にコネを作るように努めましょう。しかし、限られた権限しかないマネジャーと交渉しなければならないとしても失望しないでください。

インドネシア人対象のプレゼンテーション

インドネシア人は事実よりも、どちらかというと、将来的な期待や予測に重きを置きます。取引の際には相手の人物や会社が信頼に足るかどうかに興味を示します。明確な情報の直接的なやり取りよりも、むしろ関係作りに焦点を合わ

せるようにしましょう。

イスラエル人対象のプレゼンテーション
はっきりと、正確に情報を提示しましょう。ハードセル法(長所・利点を直接的に強く訴える方法)が向いています。しぶとさが求められます。イスラエルはアメリカに比べてよりフォーマルですが、ヨーロッパに比べるとその度合いは低いです。

イタリア人対象のプレゼンテーション
プレゼンテーションを十分に準備してください。自社の製品に関する詳細な知識、(イタリア国内の)該当地域の事情に関する知識、他国におけるビジネス歴などに関する知識が求められます。

マレーシア人対象のプレゼンテーション
多くの情報を要求されることが一般的です。適切なプレゼンテーションを準備してください。昼食、あるいは夕食をしながらのミーティングに従いましょう。名刺を使います。

メキシコ人対象のプレゼンテーション
個人的な関係を築くことが、メキシコでは不可欠です。プレゼンテーションは関係作りに向けられるべきで、押し付けがましくならないように気を配らなければなりません。グラフ、図表、コンピュータ・プリントアウト、サンプルやモデルも助けとなります。

ロシア人対象のプレゼンテーション
プレゼンテーションは事実に則し、そして技術的な詳細が豊富に盛り込まれていることが求められます。徹底的に準備し、長くて難しい交渉に備えてください。細部に注意を払い、政治情勢に気をつけましょう。

サウジアラビア人対象のプレゼンテーション
サウジアラビア人は、ビジネスにおいては用心深く手強い相手です。プレゼンテーションの終わりで、直ぐに結論(答)を求めないようにしましょう。急いでいると思われないようにします。信頼関係作りを重視して、プレゼンテーショ

ンを構成するようにしてください。アイコンタクトとオープンなジェスチャーが重要です。

スウェーデン人対象のプレゼンテーション
事実と、提案による利益を述べてください。情熱的すぎるプレゼンテーションや誇張した表現は不誠実と解釈される恐れがあるので、避けるようにします。仕事における個人的な関係は、世界の他の国々に比べあまり重要でありません。

台湾人対象のプレゼンテーション
中国の聴衆に類似しています。あまりにも直接的で率直な表現は避けましょう。関係作りに取り組んでください。質問に答えられるよう十分に準備し、一貫した回答に努めましょう。

韓国人対象のプレゼンテーション
韓国人は他の多くのアジア人より率直です。詳細な情報を提示し、難解な質問に備えてください。信頼性を維持するために同じ回答を続けましょう。プレゼンテーションに続く、厳しい交渉に備えましょう。

TIP 4　Analyze the Audience
聞き手・聴衆の分析の詳細

このパートでは、聞き手・聴衆を分析する際に考慮すべき点や、発表の際に気をつけるべき点、注意事項などの有益情報を紹介していきます。プレゼンテーションの組み立ての際に大いに活用してください

■ Who are they?［聞き手はどんな人たちか］

Customers［顧客］
自分自身や自社の製品・サービスに対する顧客の見方や要望を把握しているか確認してください。顧客は話し手の会社を、ある特定分野の製品やサービスを提供する会社だというふうに決めつけてしまっているかもしれません。新製品や新しい情報を発表する際は、それらが、顧客が理解している自社のイメージと一貫性があることを確認するようにしてください。

Potential Customers［見込み客］
自分の扱う製品やサービスが何で、どういった人たちに対する製品やサービスなのかを、見込客にはしっかりと理解してもらわなければなりません。自分の会社と取引し、自分が勧める製品やサービスを使ってもらえば、具体的にどのような利点や利益が望めるのかを見込客に説明してください。

Company Employees［自社従業員］
知識レベルと理解度を見極めてください。自分のプレゼンテーションに社員が興味を抱くように工夫してください。自分が話すことが理解されたか、質問やグループ討議を通して確認しましょう。自分の話した情報を、各自の仕事にどう応用するかに焦点を当ててください。

Distributors［代理店］
自社の製品やサービスの特徴・用途に焦点を当ててください。代理店がセールスやマーケティングキャンペーンを計画する際に必要な情報を提供しましょう。製品やサービスの用途、あるいは目標とするマーケットについての自分の考えを述べてください。しかし、海外の代理店の方が現地事情をよく知っていると

いうことも覚えておいてください。

Researchers/Scientists［研究員／科学者］
自分の研究の目的や期待される成果を伝えましょう。自分が話すことが重要であり、聞き手に密接な関係があるかもしれないことを強調してください。しかし、聞き手の専門知識を過大評価しないこと。重要なコンセプトについては、詳細に説明するようにしてください。

Directors/Managers［自社の部門長／経営陣］
統計、事実、数値など、具体的なデータに基づいたレポート・提案を行ってください。特に提案の場合、それがもたらすメリットとデメリットの両方を説明してください。コスト、必要な時間、必要な人的資源、予算、提案がもたらす利益の予測など、意思決定に必要な情報を盛り込んでください。

Investors［投資家］
投資家は、優秀なアイデア、有望なチャンス、明確なビジョン、高品質な製品やサービス、拡大の見込める計画、経営のしっかりしている会社に投資するものです。これまでの安定した業績や成長を強調しましょう。また、聞き手が、あなたの会社に投資すべき、あるいは投資を継続すべき理由を、明確に述べるようにしてください。

Peers/Colleagues［仲間／同僚］
あなたは誰にもまして、仲間や同僚を知っています。彼らに対する話の内容には、彼らに関与してくること、あるいは影響が及ぶことを含めるようにしましょう。そして、明確な意図と意義・意味を話に盛り込むことが大切です。

■ What is their level of knowledge?［聞き手の知識レベルはどの程度か］

About Your Company［話し手の会社について］
■会社に対する認知度が低い：
聞き手・聴衆があなたの会社に抱くイメージや見方を、よく把握しているかどうか、確認してください。聞き手は、そのイメージをどういうきっかけで抱き始めたのでしょうか。そのイメージは正しいのでしょうか？　聞き手の見方を

変えたいのですか？ あなたの会社の強み、優良性、評判、サービスなどについて、聞き手に理解をより深めてもらうために必要な追加情報はどれくらいでしょうか？

■**会社に対する認知度が中くらい：**
自社の製品やサービスの質の維持・向上を目的にすでに実行されていること、あるいは今後必ず実施することを明らかにしてください。会社の組織機構、あるいは他の開発・計画中の製品やサービスに関する変更などがあれば、聞き手にそのことを知らせましょう。その変更が、あなたの会社に対する見方を向上させることにつながることを、聞き手は意識していないかもしれません。

■**会社に対する認知度が高い：**
自社における自分の地位や担当などの変化、あるいは自社の全社的な改革について、聞き手に知らせましょう。会社の戦略方針を明らかにしてください。自分のプレゼンテーションを会社全体の方向性や戦略方針と結びつけるようにしてください。

About Your Products ［製品について］
■**製品に対する認知度が低い：**
自分が提示している製品やサービスに関して、聞き手によく理解してもらわなければなりません。自社の製品やサービスの特徴を、聞き手が把握しやすいようにしてください。プレゼンテーションをシンプルにすることを心がけましょう。キーワード、または簡単なコンセプトに焦点を絞るようにしましょう。あなたが誰で、何をする者なのかについてのイメージが、明確に伝わるようにしてください。

■**製品に対する認知度が中くらい：**
自社の製品やサービスに関する主な強みを述べてください。その製品やサービスに関する評判を、再度、強調してください。そうすることによって、新製品や新サービスを紹介する際にも、聞き手は、現在のあなたとの関係を続けることによって、より優れた製品や高い質を期待できると確信できるでしょう。

■**製品に対する認知度が高い：**
自社の製品またはサービスに関するイメージや評判を述べてください。新製品や新サービスに対して、自社がいかに力を入れているか、そしてその新製品や新サービスが、会社の方向性といかに調和しているかを説明してください

About Your Technology ［技術について］
■**技術上の知識が不足：**
自社の技術で何ができるかに焦点を絞ったデータを使って、説明をわかりやすくしましょう。その応用と利便性に焦点を当ててください。キーワードや主な技術用語の語義や略語（例えば、OS）などをリストしたハンドアウト（配布物）を使いましょう。

■**技術上の知識が中くらい：**
業界知識や背景についてはよく知っているが、技術的なことについては、あまり詳しくないという前提に立ちましょう。単刀直入に、新開発の技術や技術的に進歩した点の説明に入ってください。現在の標準、あるいは既存の技術と比較しながら、聞き手・聴衆の技術上の知識を高めるようにしましょう。

■**技術上の知識が豊富：**
自社の技術の目的や目標の大要を説明します。その後、目標を達成するために、乗り越えなければならなかった技術上の障害をはっきりと説明してください。自社の技術の詳細、どのように障害を乗り越えたか、到達した結果は何か、について説明してください。試験方法や収集したデータをはっきりと解説してください。

About Your Market ［マーケットについて］
■**マーケット知識が少ない：**
いろいろなマーケットセグメント（区分）、各マーケットのサイズ、各セグメント間の関係、可能な成長領域、その市場がどういう変遷を遂げてきたかを話してください。その後、自社の製品・サービスを、ふさわしいセグメントに関連づけるようにしましょう。あなたの会社にとってふさわしいマーケットシェアやサイズについて話しましょう。

■**マーケット知識が中くらい：**
関係するマーケット動向を取り上げ、その動向をいかに分析しているか、その動向が聞き手・聴衆にとってどういう意味があるのかに焦点を当ててください。変化にいかに対応してきたか、今後いかに対応していくかを述べ、聞き手が取るべき行動を示してください。

■**マーケット知識が豊富：**
マーケット動向に関して、自分がどのように把握しているかを述べます。自分と聞き手が、そのマーケット動向に関して同じ理解をしているかどうかを確認してください。どういったマーケット戦略が効果的かという点に焦点を当て、両者にとって利益になる提案を行ってください。

About Your Specialty/Research [専門分野・研究について]

■**話し手の専門分野・研究について、よく知らない：**
専門知識や研究データの説明は、専門家でない聞き手・聴衆には難しすぎます。プレゼンテーションの目標は現実的なものにしてください。聞き手にわかりやすいように、アナロジー（類推）や例を使いましょう。主要なコンセプト、どんな応用ができるのか、聞き手に及ぼすかもしれない影響などに焦点を絞って話すようにしてください。

■**話し手の専門分野・研究について、まあまあ知っている：**
自分の研究の目標や目的をはっきりと説明してください。背景情報に関しては、聞き手はよく知っていると仮定しましょう。従って、あなたの専門分野、あるいは研究の具体的な話にすぐに入っていってください。比較や事例を用いながら、聞き手の知識を高めることに注力しましょう。

■**話し手の専門分野・研究について、かなり知っている：**
自分の研究の目標や目的をはっきりと述べてください。どんな応用ができるのか、なぜこの研究を手がけたかなどを説明し、達成した結果を要約してください。研究の詳細や、将来の方向や、研究のゴールについて説明してください。

About You ［話し手について］
■**話し手について、あまり知らない：**
自分が信用できる人間であるということを、聞き手・聴衆に印象づけるようにしなければなりません。自分の資格や経験を含む適切な背景情報を述べてください。ただし、聞き手の文化や状況を注意深く考慮してください。誰を知っているか、どの会社に勤めているか、どんな人たちに話したことがあるかという実績は、自分が何者かということよりも、より重要かもしれません。

■**話し手について、まあまあ知っている：**
聞き手は、あなたのことをある程度知っています。最近、自分の周りで起きたことで、聞き手が興味を引くようなことを伝えましょう。聞き手との間の類似点や共有している関心事を述べ、聞き手との距離を縮める努力をしましょう。関係向上を図り、聞き手の期待に応えるために最大限努力することを表明するようにします。

■**話し手について、よく知っている：**
聞き手は、あなたのことをよく知っています。彼らは、仕事上でのあなたの強み・弱みを知っているかも知れません。自分の強みを更に強調し、弱みについては克服する決意であることを説明してください。その決意が本物であることや、聞き手・聴衆との関係が重要であるということを、具体的な例で示すように努めましょう。

What do they want to Learn? ［聞き手は何について聞きたいのか］

Recommendations ［推奨／推薦］
自分が推奨する理由や推奨する事柄の有益性を明確に述べましょう。得られるであろう結果や成果を示し、推奨した事柄を受け入れた後、提示した結果がいかに達成されるのかを明瞭に伝えるようにしてください。それが受け入れられなかった場合のことを話したり、他の案と比較する必要性があるかもしれません。

New Technology/Skills ［新しい技術・スキル］
聞き手・聴衆の知識レベルは、常に重要な点です。情報を伝える時は、ステッ

プバイステップを心がけてください。各ステップごとにキーポイントを繰り返し、聞き手に覚えてもらいたいことが伝わっているか、彼らの理解具合を確かめるようにしてください。確認のために、質問をしたり、グループワークをしてもらったりして、聞き手をできるだけ巻き込むようにしてください。聞き手の知識を増すようにしていきます。

Market Trends [市場動向]
データを分析し、そのデータが聞き手・聴衆にとってどういう意味があるのか、そのデータや裏の意味を聞き手がどのように利用できるのかに焦点を当ててください。自分のキーメッセージを伝える際には、グラフやチャートを使いましょう。聞き手が専門家でない限り、データの表では複雑な統計分析は避けてください。

Financial Status [財務状況]
社内でのプレゼンテーションの場合、財務上のデータは、明確に簡潔に提示してください。経営陣が、会社の目標を達成するための行動を決める上で必要な、現在の財務状況や将来的な見通しを示してください。株主や投資家に対するプレゼンテーションの場合は、一般的な会計フォーマットで財務報告を行ってください。

Performance Results [業績評価]
当該期間で達成した業績をはっきりと伝えましょう。環境的要因が業績にどのように影響を及ぼしたかを簡潔に伝えてください。用いた方策と、その方策を使った理由を述べてください。仕事上、順調に行った面と不調に終わった面、その原因と結果を述べてください。次期の見通しと方策や計画も語るようにします。

About You [話し手について]
聞き手・聴衆が話し手に抱く文化的先入観について考えてみてください。プレゼンテーションを始める前に、聞き手の持つ偏見と誤解を乗り越えなければならないかもしれません。聞き手に近づくための何らかの共通項を探し出すようにしてください。

Products［製品］

自社の扱う製品のマーケットニーズを説明します。該当製品の機能や特徴、優秀性を述べ、それらの特徴がマーケットや顧客のニーズをいかに満たしているかを伝えてください。在庫確保、流通、保証、サービス、技術的サポートなども大切な点です。もし、新製品を紹介するのであれば、その開発過程やテストに関する概要や、リサーチに関する報告をするとよいでしょう。

Service［サービス］

該当サービスが顧客に好評であることを強調しましょう。そのサービスに満足している顧客の声、あるいはマーケットで評価されている証拠を提示してください。そのサービスによる利点や得られる利益を示してもよいでしょう。サービスの質の向上が具体的にどのように役立つか、ということを示しながら、顧客のニーズに焦点を当ててください。安全性、信頼性、保証なども大切な点です。

Company Information［会社情報］

聞き手・聴衆が求めている情報を提供しましょう。会社の方向性、ゴール、機構、製品やサービス領域などを、はっきりと簡潔に説明してください。会社の信用性、評判、イメージなども大切な点です。

■ How will they use your Information?［聞き手は何のために情報を利用するのか］

Make a Decision［意思決定］

聞き手・聴衆が意思決定するために必要なすべての情報を提供するようにしてください。その決定がもたらす結果を聞き手がはっきりと思い浮かべることができるように、明瞭なシナリオを示してください。聞き手が意思決定しやすいように、明確な選択を示しましょう。

Approve Budgets［予算割り当て］

多くの部門は、予算や人的資源を必要とするだけでなく、上層部の支持と支援を必要としています。所属部門の予算割り当てを裏付ける明瞭な事業計画を作成し、自分が必要な予算の根拠をはっきりとさせることです。自分自身、あるいは自部門が会社に対して利益をもたらすこと、また業績で貢献することを売

り込むようにします。

Buy Your Product［製品購入］
あなたが勧める製品の方が、市場にある他の製品よりニーズを満たしてくれることを聞き手・聴衆に確信してもらわなければなりません。聞き手は、2つの点から意思決定をします。その2点とは、合理性と感情です。自社の製品が顧客のニーズにとって有益であることを理路整然と説明するとともに、聞き手があなたとの間に、相互に信頼、尊重、理解し合える関係が築けていると感じられるようにしなければなりません。

Build New Products［新製品開発］
新規事業や新製品の開発には、常に何らかのリスクが伴います。リスクの要素が何かを考え、考えられるリスクに対しては、どのくらいの資金、あるいはどういった人的資源を投入すれば回避できるか、といった具体的なデータを準備しておきましょう。新製品の投入に関しては、設計からセールスまで、組織全体の支持と支援を必要とします。従って、各部門に対して数多くのプレゼンテーションをしなければなりません。

Create New Business Plan［新ビジネス計画立案］
事業計画の目的、複雑さ、ニーズに応じて、聞き手は以下の情報のいずれか、またはすべてを必要とします。それは、誰が、何を、どこで、いつ、どのように、いくら（予算）で、ということに関する情報です。誰が何の目的で、そのプランを使うのかを考慮することが肝要です。

Plan Strategy［戦略計画］
あなたの製品・サービスが、聞き手がその顧客に売り込もうとする際に、顧客の関心をいかに引きつけるか、見込客からいかに良い返事を引き出せるか、その製品・サービスの購入をいかに決めさせるか、といった情報を、聞き手・聴衆に提供しなければなりません。

License Your Technology［技術のライセンス契約］
提示された技術が聞き手・聴衆のニーズを満たし、その技術の優れた独自性が明確に提示されれば、聞き手はその技術に関するライセンス契約を望むかもし

れません。提示する技術に関する研究、開発、テスト、そして受理されたパテント、あるいは承認待ちになっているパテントなどについて説明します。

Compare with Competitors ［競合他社との比較］
自社製品が素晴らしい特色を持っているということを伝えてください。競合他社の製品と比較して、自社のものの方がより優れた特色や特徴を持っていることを説明してください。それらの特色や特徴がなぜ重要なのかを強調してください。自社製品あるいはサービスが、競合他社のものと明確に差別化されているようにしましょう。

Evaluate Performance ［業績評価］
自分が評価されたい基準を設定してください。市場、あるいは業界で一般的とされる枠内で、受け入れられる基準を設定してください。それらの基準を満たすために、いかに努力したかを示してください。

Determine Future Needs ［(問題解決のための) 将来的な必要性の決定］
現在直面している問題の状況とその分析を説明します。分析のための調査方法を明確にし、その結果を簡潔にまとめて説明してください。そして、問題解決のために、他にどんな情報が必要か、あるいは、どんな調査が必要になるのかを確認してください。

The Great Presenter

Section 3
Presentation Examples
様々なプレゼンテーションの例

- Ex1: イントロダクションの例
- Ex2: 論理的展開の例
- Ex3: 結論の例
- Ex4: 完成版プレゼンテーションの例
    - ■海外販売代理店に対する新製品の発表
    - ■国際会議での技術発表
    - ■顧客ニーズに対応するためのリソースの要求

EX. 1 Example Introductions
イントロダクションの例

Ex.1 Presenting a New Product to Customers
🎧 09 [顧客への新商品紹介]

SpeedCheck 2000
- Fast
- Accurate
- Visual
- Cost Effective

A Powerful Automatic Measuring System for Worldwide Construction in the 21st Century

---

Background Information
[背景説明]

"Good Morning, Ladies and Gentlemen. **My name is Philip Deane** from the systems development division of Kadota construction.

Presentation Objectives
[目的説明]

The reason I am here today is to introduce our new SpeedCheck 2000 automatic measuring system and to show you how SpeedCheck 2000 can save you time and money when taking measurements on construction sites.

Presentation Contents
[内容説明]

In particular, I'm going to talk about the five key features of SpeedCheck 2000. **They are:** SpeedCheck 2000 is fast, typically 15,000 times faster than manual measuring systems. SpeedCheck 2000 is accurate, with an error of only 0.0001%. SpeedCheck 2000 is visual; it uses an IBM compatible personal computer with the Windows operating system. SpeedCheck 2000 is cost effective, up to 50% cheaper than manual measurements. And Speed-

Check 2000 has a network interface which allows you to communicate with other computers anywhere in the world.

By the end of my presentation I'm sure you will agree that SpeedCheck 2000 is indeed a powerful automatic measuring system for world-wide construction in the twenty-first century.

> Transition to First Key Point
> [つなぎ]

Please note that I would be happy to answer any questions you have at the end of my presentation. I would like to start by moving onto my first point."

【訳】
［皆様、おはようございます。**私は**カドタ建設、システム開発部の**フィリップ・ディーンです**。

本日参りました理由は、当社の新製品である自動計測システム、SpeedCheck 2000 をご紹介するためです。SpeedCheck 2000 が、建設現場で計測する際に時間と経費をどれだけ節約できるかをご覧にいれたいと思っております。

特に、SpeedCheck 2000 の 5 つの特徴についてお話しします。その特徴とは、SpeedCheck 2000 は高速です。手動式計測システムのおよそ 15,000 倍の速さです。SpeedCheck 2000 は正確です。0.0001％のエラー率です。SpeedCheck 2000 は見やすい。ウィンドウズ OS の、IBM コンパチブルパソコンを使用しています。SpeedCheck 2000 は費用対効果が優れています。手動式計測の 50％のコストです。そして、SpeedCheck 2000 はネットワークに対応しており、世界中のどこのコンピュータとも通信することができます。

このプレゼンテーションの終わりには、SpeedCheck 2000 が、21 世紀における世界各地に広がる建設のための、強力な自動計測システムであることをご理解いただけると思います。

プレゼンテーションの終わりで、ご質問には喜んでおこたえするつもりです。では、最初のポイントから**始めたいと思います**。］

Ex.2 A Marketing Report
🔊 10 [マーケティング報告]

Iso-Sports: Still No.1 in Japan

- The Japanese Soft Drinks Market
- Iso-Sports Sales Performance
- Increasing Market Share by 10% Over Next Two Years

Presentation Objectives [目的説明]

"Good morning everybody. **In my presentation today** I would like to review the performance of Iso-Sports, our top selling isotonic drink. There are three main points to my presentation.

Presentation Contents [内容説明]

First, I'll present a summary of the very competitive Japanese soft drinks market. **Second,** I'll look at the actual sales performance of Iso-Sports. **And finally** I'll show you how we plan to increase our market share by 10% a year for the next two years.

Reason to Listen [聞く理由づけ]

By the end of my presentation you should know that Iso-Sports is now and will continue to be the best selling isotonic drink in Japan.

Transition to First Key Point [つなぎ]

Let's start by looking at the Japanese soft drinks market."

【訳】
[皆様、おはようございます。**本日のプレゼンテーションでは、**売り上げトッ

プを誇る我が社のアイソトニック飲料、Iso-Sportsの実績を検討したいと思います。

まず第1に、競争の激しい日本の清涼飲料水市場について報告します。**2番目に、**Iso-Sportsの実際の売り上げについて見てみます。**最後に、**今後2年間で、いかにしてマーケットシェアを10％増やすかについてのプランを発表します。

プレゼンテーションの終わりには、Iso-Sportsが、今後も日本でトップの売り上げを保っていくことを、皆様に確信していただけるだろうと思います。

では、日本の清涼飲料水の市場について**見ていきましょう。**]

Ex.3 Presenting to an Engineering Team
11 [エンジニアチームへのプレゼンテーション]

```
┌─────────────────────────────────┐
│   Turbo-Charger Overheating     │
│         at 5000 RPM             │
│                                 │
│   Today's Objective:            │
│                                 │
│      Decide What to Do to       │
│       Solve This Problem        │
│                                 │
│    It Could Cost Us ¥20,000,000!│
└─────────────────────────────────┘
```

Background Information
[背景説明]

"Good morning everyone. **As you all know,** last week I went to London to meet with Mr. Gunson, the chairman of Gunson cars. In our meeting we talked about the new V-8 engine we are jointly developing with his company.

Presentation Objectives
[目的説明]

In my presentation this morning, I'd like to report on the situation regarding the development of the new engine. In particular, I'd like to give you a detailed analysis of the problem we now face with the turbo-charger. A problem that could cost us more than ¥20 million to solve.

Ex.1: イントロダクションの例 | **145**

| Presentation Contents [内容説明] | Anyway, **I'll start by** summarizing my discussions with Mr. Gunson **and then move on to** the analysis of the turbo-charger problem. |

| Reason to Listen [聞く理由づけ] | **I sincerely hope** that by the end of our meeting today we can decide what to do in order to solve this problem as quickly as possible. |

| Transition to First Key Point [つなぎ] | **Let me begin** by saying how disappointed Mr. Gunson was to hear...." |

【訳】
[皆様、おはようございます。**ご存じのように**、先週私はガンソン・カー社の会長、ガンソン氏に会うためにロンドンに行って参りました。その際のミーティングで、共同開発中の新しいV-8エンジンについて話し合いました。

　今朝のプレゼンテーションでは、この新エンジンの開発に関する現状をご報告したいと思います。特に、現在問題となっているターボチャージャーについての詳細な分析を行いたいと思います。問題の解決には2,000万円以上のコストがかかる恐れがあるからです。

　ともかく、**まずは**ガンソン会長との話し合いについて要約**します**。その後、ターボチャージャーの問題についての分析**に移り**たいと思います。

　本日のミーティングで、この問題の解決策が早急に決定できることを**願っております**。

　まず初めに、ガンソン会長がどんなに落胆していたかと言いますと……]

Ex.4 Personnel Director to Managers
🔊 **12** [人事部長から経営陣へのプレゼンテーション]

Pre-Departure Training

Ensuring Successful Overseas Assignments

Presentation Objectives [目的説明] ▶ "Good morning, everybody, and thank you for coming. **Today I would like to talk about** pre-departure training.

Background Information [背景説明] ▶ **As some of you already know,** last year we sent twenty-three staff on overseas assignments. All of those employees are currently enjoying their stay and are doing highly productive and valuable work for our company. This may be a surprise for you. Especially if you remember the situation four years ago, when all of our employees on overseas assignment really hated working abroad.

So what has changed? It's a good question. Something has changed. Four years ago we had no pre-departure training, but now we do.

Presentation Contents [内容説明] ▶ **So in my presentation I would like to** report on the success of the new pre-departure training program and to show you the training methods we are using to ensure a successful overseas assignment for our staff.

Ex.1: イントロダクションの例 | **147**

| **Reason to Listen** [聞く理由] | **I will also show you how you can use this information** to help you plan training courses for your overseas candidates. |

| **Transition to First Key Point** [つなぎ] | **I'd like to start by** talking about the successes so far." |

【訳】

[皆様、おはようございます。ご出席ありがとうございます。**本日は**海外赴任前研修についてお話ししたいと思います。

　皆様の中にはご存じの方もいらっしゃると思いますが、昨年当社から23名の者が海外赴任いたしました。これらの海外赴任者は全員、赴任先での生活を楽しみ、よく働いて、会社に貢献してくれています。これは予想外と思われるかもしれません。特に4年前の状況を覚えていらっしゃる方は、海外駐在員がいかに外国での仕事を嫌っていたかを思い出されるでしょう。

　では、何が変わったのでしょうか？　良い質問です。何かが変わったのです。4年前には赴任前研修がありませんでしたが、いまは実施しているということです。

　私のプレゼンテーションでは、新しい赴任前研修プログラムの成功例と、社員が海外で成功するために私どもが活用している研修方法を、ご紹介したいと思います。

　また、皆様が海外要員研修を計画する際に、**この**情報がどのように利用できるかについてもご説明します。

　では、これまでの成功事例からお話ししたいと思います。]

Ex.5 A Performance Evaluation
🔊 **13** [業績評価]

"Good morning everybody and thank you for attending this presentation.

| **Presentation Objectives** [目的説明] | **Today I'm going to report on** the performance of the Semiconductor Sales and Marketing Division for the |

> **Semi-Conductor Sales and Marketing Division**
>
> **First Quarter Results**
>
> Philip Deane
> Division Manager

Background Information
[背景説明]

first quarter of 2002. **As a brief summary** of that period, we were in fact 20% below our sales target.

Presentation Contents
[内容説明]

I have divided my presentation into two parts. First I would like to describe what happened during that time and to explain the reasons why we were so far below our target. **I will then present** my forecast and recovery plan to get back on target for the second quarter.

Reason to Listen
[聞く理由づけ]

By the end of my presentation I hope that you will appreciate the difficulties we faced in the first quarter and have enough information to approve my recovery plan for the second quarter. I believe we have some great opportunities, however I need your full support and approval for additional resources to implement the recovery plan and get back on target.

Transition to First Key Point
[つなぎ]

Before I begin, do you have any questions or is there anything else that you would like to know during my presentation?"

【訳】
[皆様、おはようございます。また、ご出席ありがとうございます。
　本日は、2002年度の第1四半期の半導体セールス・マーケティング部の業績についてレポートいたします。端的に申しますと、我々はこの時期、売り上げ

目標を20%下回りました。

　本日のプレゼンテーションは2部に分かれています。まず、当該期間に何が起きたのか、そして目標をなぜこれほど下回ったのかについて説明したいと思います。**その後、**第2四半期での建て直し策と予測を**説明したいと思います。**

　このプレゼンテーションの終わりには、第1四半期で私たちが直面した困難をご理解いただき、第2四半期での建て直し策をご承諾いただくための十分な情報をお持ちいただきたいと思います。私たちには多大なチャンスがあると信じております。ただし、そのためには皆様の全面的なご支援と、建て直し策を実行し目標を達成するための追加予算などに対する承諾が必要です。

　始める前に、ご質問はありますか？　また、このプレゼンテーションで何か他にお知りになりたいことはありますか？］

EX. 2 Examples of Logical Presentations
論理的展開の例

Ex.1 Training Results
14 [研修成果]

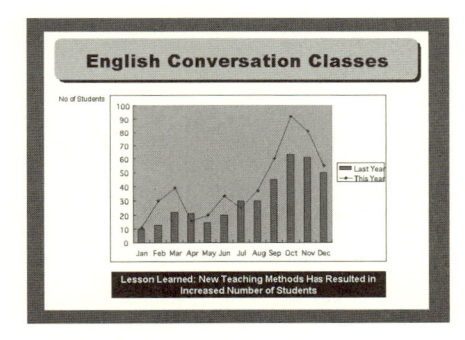

[Slide: "English Conversation Classes" — bar and line graph showing No. of Students by month (Jan–Dec), comparing Last Year (bars) and This Year (line). Caption: "Lesson Learned: New Teaching Methods Has Resulted in Increased Number of Students"]

Introduce Key Point
[キーポイント紹介]

"**This graph shows** the number of students who attended our employee in-house English language training program for last year and for this year. The vertical bars show the number of students who attended last year, and the line shows the number of students who attended this year. **As you can see** the overall number of students has increased over last year in every month except for April and July.

Supporting Details
[詳細説明]

So this year we had more students than ever before, with the peak being reached in October. **I'm sure all of you here today would like to know the reasons why** we had more students this year compared to previous years.

Well, we believe the answer lies in our new approach to teaching English. **As some of you already know,** in January of this year we changed our teaching method, and this resulted in more students applying for the courses. We also changed the schedules and the location of the classrooms, which made it much easier for employees from different divisions to join the program. These changes resulted in an increase in the total number of students attending. The reason for the October peak, by the way, is that the new term starts then, and we always get a peak at this time.

Transition to Next Point [つなぎ]

In summary the number of students attending the English language training program this year increased by 20%. **Now I would like to talk in more detail about** the new approach to teaching English that we have been using this year...."

【訳】
[このグラフは、昨年と今年の社内英語研修プログラムに参加した受講者数を**示しています**。縦棒は昨年参加した受講者の数、折れ線は今年参加した受講者の数、をそれぞれ表しています。**ご覧の通り、**4月と7月を除いた月ごとの全体数が昨年を上回っていることがおわかりいただけると思います。

従って、今年は10月のピークをはじめ、かつてないほど多くの受講者数があったことになります。**本日ここにおいでの皆様すべてが、なぜ昨年より今年の方が多くの受講者があったか**という**理由をお知りになりたいことと思います。**

その答えは、私どもの新しい英語教授法にあると確信しております。**既に何人かの方はご存じかと思いますが、**私どもはこの1月に教授法を変え、その結果多くの生徒がコースに応募してきたのです。さらに、私どもはいろいろな部署から参加しやすいように、コースのスケジュールと教室の場所を変えました。こうした結果が参加者数の増加につながったのです。ところで、10月にピークを向かえた理由は、その月から新しい期間が始まるためで、いつでもこの時にピークを向かえます。

要約すると、今年英語研修プログラムに参加した受講者の数は20%増となりました。

では、今年から始めた新教授法**について**詳しく**触れていきたいと思います。**]

Ex.2 A Manufacturing Portfolio
15 [製造に関する全体像]

Current Manufacturing Portfolio

- 12 Basic Product Lines
- 55 Different Variants for Each Line
- 660 Different Products
- Each product Has 1700 Components
    - 80% are common to all variants
    - 20% depend on the variant

It's a Logistical and Inventory Nightmare!

Introduce Key Point
[キーポイント紹介]

"**Before I introduce my recommendations,** I think it's important that we start by looking at an overview of our manufacturing portfolio.

Supporting Details
[詳細説明]

We currently manufacture 12 basic product lines, each having many different variants dependent on customer requirements. We manufacture approximately 55 different variants for each product line, making a total of 660 different products. Each product variant has a different product code. **This means that** each variant has its own parts list, manufacturing specifications, inspection records, and so on. **In addition,** each product has approximately 1,700 components. Of these, 80% are common to the basic product line, the other 20% are dependent on the variant. **This, as you can imagine, creates a major logistical and inventory nightmare** in our production plants and planning offices.

We must accept that the number of variants will continue to increase as customer demands become more specialized and new products are introduced. We must continue to manufacture a large number of variants for the foreseeable future, but, as yet, we do not have a technical solution to respond to the increasing market demands. **So, as you can see, we face some difficult problems** in producing all these products with so many variants.

> **Transition to Next Point**
> 【つなぎ】

Nevertheless, I believe that there may be an answer to this problem, and **now I would like to show you** some ideas and recommendations which our team believes will allow us to effectively cope with the increasing demands on our manufacturing portfolio. **Before I do that, do you have any questions about the problem itself?**"

【訳】
［私の提案をご紹介する前に、当社の製造に関する全体像の説明から始めさせていただくことが大切だと思います。

　現在12の基本生産ラインがあり、それぞれのラインでは、お客様のご要望にこたえるべく多種多様なバリエーションに対応しております。各基本生産ラインで約55種の製品を製造し、合計で660種類にのぼる製品を生産しております。各製品のそれぞれに製品コードがつけられています。**これは、各製品ごとに個別のパーツリスト、製造仕様書、点検記録などがあるということを意味します。**その上、各製品には、約1,700の部品があります。これらの中で、80%が基本製品と共通で、20%が別部品です。**ご想像の通り、これは物流管理と在庫管理面で、工場や企画部門に、大変な困難を強いることになります。**

　今後も製品のバリエーションの数が増える**ことは間違いありません。**お客様の要求が一段と細分化され、新しい製品が投入されるからです。これからも、数多くの製品バリエーションを製造していかなければなりませんが、現在、私たちには、この増加し続けるマーケット需要に技術的に対処する方法がありません。**ですから、これらすべての多様な製品を製造するにあたり、難しい問題に直面していることにお気づきいただける**と思います。

　しかしながら、この問題に答えを見つけることはできる**はずです。**この製造

品目数の増加に効果的に対処できると、私たちのチームが確信するアイデアと提案をこれからご紹介いたします。その前に、この問題自体に関して、何かご質問はありますか？］

Ex.3 Improving System Efficiency
🔘16［システム効率の向上］

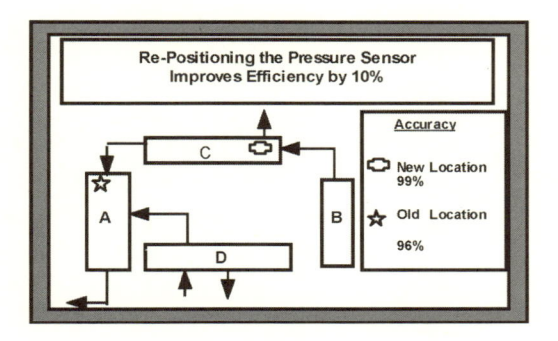

```
Re-Positioning the Pressure Sensor
Improves Efficiency by 10%
```

Accuracy
- New Location 99%
- Old Location 96%

Introduce Key Point
［キーポイント紹介］

"By changing the location of the pressure sensor we have improved the overall efficiency of the pressure control system by 10%.

Supporting Details
［詳細説明］

This diagram shows the changes we made to the pressure control mechanism. **I would like you to focus your attention** on the area highlighted in red. **This shows** the new location of the pressure sensor. By positioning the sensor here, instead of the previous location shown by the blue area, we were able to increase the accuracy of pressure readings. **As you can see** from the table, the readings from the new location were far more accurate compared to those from the previous location.

This has enabled us to improve the overall system efficiency under all operational conditions. **Please refer to** my handout for details of the changes in design to the pressure sensor itself.

I would just like to summarize that point. By changing the position of the new pressure sensor we were able to increase the efficiency of the pressure control mechanism by 10%. **This will enable us to** meet the new environment regulations that come into effect next year.

> Transition to Next Key Point [つなぎ]

Now I would like to show you how the improvements in system efficiency will enable us to meet the new environmental regulations on green house gas emissions."

【訳】
[圧力センサーの**位置を変えることによって**、圧力コントロールシステムの効率を10%アップしました。

　この図は圧力コントロール機構に加えた変更を**示しています**。赤で示された部分に**注目してください**。これは圧力センサーの新しい位置を**示します**。以前の青い部分の位置から、センサーをここに移すことで、圧力測定の精度を増すことができたのです。この表から**おわかりいただけるように**、新しい位置からの検知は以前の位置のものよりもはるかに正確です。

　これによってどんな条件下でも、システムの全体的な効率を高めることができるようになったのです。**圧力センサー自体のデザイン変更についての詳細は、ハンドアウトをご覧ください。**

　いまのポイントをまとめますと、新しく圧力センサーの位置を変更することによって、圧力コントロール装置の効率を10%アップすることに成功したのです。**これによって、来年度から施行される新しい環境規制に対処することができるのです。**

　さて、このシステムの改善によって、温室効果ガス排出に関する新しい環境規制にどのように対処できるかを**ご説明したいと思います**。]

Ex.4 Asking for Decisions
🔊 17 [決定を求める]

Expected Cost Savings for Pre-Departure Training

	Cost Saving
No Change	0%
Use One Supplier	20%
In-house Trainer	27%

Goal: Chose the Best Cost/Performance Solution

Introduce Key Point
[キーポイント紹介]

"**Now I would like to move** on to the subject of pre-departure training for overseas candidates. **As you know,** pre-departure training is getting more and more expensive every year, and so **in this meeting I would like us to decide** how we can cut the costs of our pre-departure training program.

Supporting Details
[詳細説明]

The basis for our decision will be cost performance. We have to choose the best alternative at the best price. **Briefly, it seems we have three choices. The first** is to continue as we are, using a variety of consultants. **The second** is to use only one company, and **the third** choice is to employ full-time staff to do the training in-house.

Let's look more closely at the three choices we have. **This figure shows** the expected cost savings for each alternative. Naturally, staying as we are will not reduce costs at all. Choosing the second option—using one company—should allow us to save about 20% on costs. This is obviously a good choice. However, the third option, employing a full-time trainer, will save us 27%.

So it seems the decision we need to make is whether to use one company or to use an in-house trainer. **Using one company means** that all of the training will be in the same format, which is attractive. **But also it means that** there will be no way of comparing the quality of training with another company. The same is true for an in-house trainer, but we will have the advantage of designing training courses as we choose.

> **Transition to Next Key Point [つなぎ]**

Both choices will save costs, but they do have some associated problems. **And today I would like us to discuss these choices in more detail and then choose the best alternative."**

【訳】

[それではここで、海外要員のための赴任前研修に話を移したいと思います。ご存じのように、赴任前研修の費用は毎年増加しております。この会議では、いかにして我が社の赴任前研修の費用を削減するかについて決定を求めたいと思います。

　私たちの決定の基準はコストパフォーマンスになります。私たちは最善の費用の、最良の代案を選ばなければなりません。端的に申しますと、3つの選択があると思われます。まず、このまま継続して様々なコンサルタントを使用することです。2番目は委託業者を1社に絞ること、そして3番目は社内研修を担当する正社員スタッフを雇うことです。

　この3つの案について詳しく見ていきましょう。ここに挙げた数字は、それぞれの案についての費用削減の見積もりを示しています。当然、現状のままでは費用削減はできません。2番目の案──1つの業者に絞ること──を選ぶことによって、20%の費用削減になります。明らかに良案です。しかし、正社員トレーナーを雇う3番目の案では、27%削減になります。

　よって、私たちが下すべき決断は、1つの業者に絞るか、正社員トレーナーを雇うかのどちらかと思われます。業者を1つに絞れば、トレーニングの形式が統一されることになり、これは魅力的ですね。しかし、それは他社との質の比較ができないということになります。社内トレーナーについても同じことが

言えますが、これには我々独自の研修を作成できるという利点があります。
　どちらの案も費用は削減できますが、それぞれに問題もあります。**本日は、これらの案に関してもっと詳細にわたって話し合い、最良の案を選びたいと思います。**]

Example Conclusions
結論の例

Ex.1 Presenting a New Product to Customers
◎ 18 [顧客への新商品紹介]

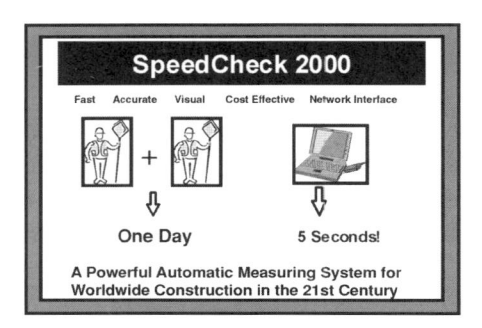

```
SpeedCheck 2000
Fast   Accurate   Visual   Cost Effective   Network Interface

  [figure] + [figure]         [laptop]
       ⇩                         ⇩
    One Day                   5 Seconds!

A Powerful Automatic Measuring System for
Worldwide Construction in the 21st Century
```

Repeat and Emphasize
[繰り返しと強調]

"**Let me finish by emphasizing** the key benefit of SpeedCheck 2000—that is, SpeedCheck 2000 is fast. It takes two men one whole day to take 500 measurements on a construction site and to produce a useful report. In many cases it can take even longer than that.

SpeedCheck 2000, however, can finish the same task in only five seconds—and it gives better reports with more factual data.

Additionally, the visual interface makes SpeedCheck 2000 easy to use, and together with the network interface, **SpeedCheck 2000 presents the cost effective solution for automatic measuring for worldwide construction in the twenty-first century.**

Thank the Audience Ask for Questions
[感謝の辞・質疑応答]

Thank you for listening.

Are there any questions?"

【訳】

[SpeedCheck 2000の主な利点について**再度申し上げて終わりたいと思います**。SpeedCheck 2000は高速であるということです。建設現場において、500回もの計測を行い、有用なレポートを作成をするには、通常2人がかりで丸1日かかります。多くの場合、もっと時間がかかることがあります。

SpeedCheck 2000は、同じ作業をなんと5秒で終えることができます。しかもより多くのデータに基づいた正確なレポートも作成します。

さらに、SpeedCheck 2000は、ビジュアルインターフェースによって使いやすくなっており、またネットワークインターフェースを利用することで、21世紀における世界各地に広がる建設のための自動計測システムとして、費用対効果を上げるソリューション（解決策）となるでしょう。

ご清聴ありがとうございました。

ご質問はございますか？]

Ex.2 A Marketing Report
19[マーケティング報告]

Iso-Sports: Still No. 1 in Japan

- Market Leader Now and in the Future
- Increasing Market Share by 10% Over Next Two Years

Looking Forward to a Bright Future

Repeat and Emphasize
[繰り返しと強調]

"**I would like to finish my presentation** by briefly summarizing my main points.

The situation is very positive. Sales of Iso-Sports are going extremely well, we are currently the market leader and will continue to be in the future.

In addition, the forecast of a 10% increase in our market share over the next two years is excellent news. Our competitors will no doubt try to catch up with us, but I feel confident that we can stay ahead of them all the way.

With the new products scheduled for next year, I feel our future in Japan is as bright as the rising sun itself.

> **Thank the Audience**
> **Ask for Questions**
> [感謝の辞・質疑応答]

Thank you. If you have any questions, I would be happy to answer them."

【訳】
［主なポイントを簡単にまとめて**終わりたいと思います**。
　私たちは非常に良い立場にあります。Iso-Sportsの売り上げは大変好調で、現在、私どもがマーケットリーダーであり、将来もそれを維持していくでしょう。
　さらに、今後2年間でマーケットシェアが10%増加という**予測も**素晴らしいニュースです。競争相手は必ずや追いつこうとするでしょう。しかし、私どもが今後もずっとトップを維持できると私は確信しております。
　来年には新製品の投入も予定されており、日本における私たちの将来は日の出のごとく、大変明るいというわけです。
　ありがとうございました。何かご質問がありましたら、お答えします。］

Ex.3 Presenting to an Engineering Team
20 [エンジニアチームへのプレゼンテーション]

> **Repeat and Emphasize**
> [繰り返しと強調]

"I would like to finish my presentation by once again emphasizing the problem that lies in front of us.

We must find a way to stop the turbo-charger from overheating at high engine speeds. If we cannot do this, then we will have to use a different turbo-charger model from a different supplier. That will put us two months

> **Turbo-Charger Overheating at 5000 RPM**
>
> **What Are We Going to Do to Solve This Problem?**
>
> It's Time for Action and Decisions!

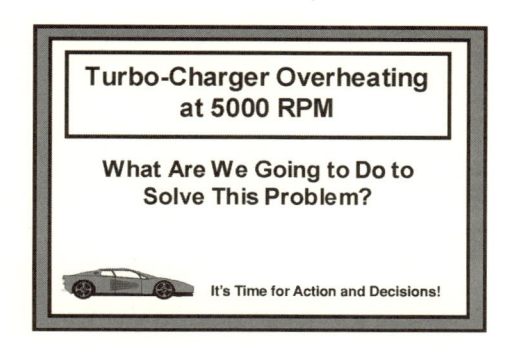

behind schedule and will cost us more than ¥20 million. We will be significantly over budget.

We must avoid this situation.

It is time for action and decisions. Before we leave this room today I want us to reach agreement on exactly what we are going to do in order to solve this serious problem.

> Thank the Audience
> Ask for Questions
> [感謝の辞・質疑応答]

Thank you. Now let's get to work. **Any questions?"**

【訳】

[私たちの直面している問題をもう一度確認して**プレゼンテーションを終わりたいと思います。**

　エンジンが高速回転状態におけるターボチャージャーのオーバーヒートを防ぐ方法を見い出さ**なければなりません。**これができなければ、別のサプライヤーの、別の型のターボチャージャーを使わなければなりません。そうなると、2カ月の遅れが生じ、2,000万円以上の経費が余分にかかります。予算を大幅に上回ります。

　これは避けなければなりません。

　決断と行動が迫られているのです。今日この席で、この深刻な問題について、具体的な解決策に到達したいと思います。

ありがとうございました。では仕事にかかりましょう。何かご質問はありますか？］

Ex.4 Personnel Director to Managers
［人事部長から経営陣へのプレゼンテーション］

> **Pre-Departure Training**
>
> •Increased Productivity
> •Happier Staff
> •Improved Relationships
> *Just Ask Us!*

Repeat and Emphasize
［繰り返しと強調］

"**Let me conclude my presentation** by saying that the cost of pre-departure training may seem a little high, $5,000 per person. However, the increased productivity of the employees is estimated at $100,000 per person. A remarkable figure, don't you think?

In addition, the employees are much happier and feel more comfortable in the local culture, with improved relationships with local staff. Of course, the problem we now have is persuading those employees to come back again!

I'd like to finish by adding that the key to a successful overseas assignment is the ability of the employees to communicate with the staff from the local culture, and these pre-departure training programs provide that key.

So, please make sure you use this information to

Thank the Audience Ask for Questions
[感謝の辞・質疑応答]

arrange suitable training courses for all of your overseas candidates, and then ask us to do the training.

Thank you. Do you have any questions?"

【訳】

[最後に締めくくりたいと思いますが、海外赴任前研修のコストが1人につき5,000ドルというのは、少々高いように思われるかもしれません。しかしながら、これによる生産性の向上は、社員1人当たり10万ドルに達すると見積もられます。驚くべき数字ではありませんか？

加えて、社員は現地で満ち足りた、快適な生活が送れ、現地スタッフとも良い人間関係を築いていけるのです。もちろん、そうすると駐在員が帰ってきたがらなくなるという問題もありますが！

最後に付け加えますが、海外派遣の成功の鍵は、駐在員が現地のスタッフと意思伝達しあう能力にあり、それこそこの赴任前研修がもたらすものです。

皆様がこの情報を海外派遣候補者のための適切な研修の準備に役立てていただけるよう、そして私たちにその研修を任せていただけるよう、お願いいたします。

ありがとうございました。ご質問はありますか？]

Ex.5 A Performance Evaluation
22 [業績評価]

Repeat and Emphasize
[繰り返しと強調]

"**I would like to finish my presentation by summarizing my key points.** We were 20% below our sales target for the first quarter due to three main factors: The commodity driven market, over supply in the market, and the relocation of Kadota to Malaysia. **This resulted in** an overall loss of ¥573 millionn.

However we have several opportunities that will enable us to recover our position in the second quar-

> **Semi-Conductor Sales and Marketing Division**
>
> - Online product support
> - Client awareness seminars
> - Online ordering program
>   ⇩
> 150 man hours, $50,000 Configuring costs

ter. My proposed recovery plan introduces three new services that will differentiate our service and reduce our costs.

These are: on-line product support, client awareness seminars, and the on-line ordering system.

We must introduce these new services immediately to recover our sales and get back on target in the second quarter.

With your approval I would like to implement the plan. The total allocation of resources for the recovery plan is $50,000 and 120 man-hours.

> Thank the Audience
> Ask for Questions
> ［感謝の辞・質疑応答］

Thank you for listening. Do you have any questions?"

【訳】
［キーポイントを要約して、私のプレゼンテーションを終わりたいと思います。3つの主な要因によって、私たちは第1四半期の売り上げ目標を20％下回りました。普及品主導の市場、供給過剰、そしてカドタのマレーシアへの移転です。これらが、全体で5億7,300万円の損失をもたらしたのです。
　しかし、**私たちには**第2四半期でこの損失を挽回できる**チャンスがあります**。

私の提案した回復プランは、私たちのサービスを差別化し、コストを削減する3つの新サービスを導入することです。

　それらは、オンライン製品サポート、顧客教育セミナー、そしてオンライン受注システムです。

　売り上げを回復し、第2四半期の目標を達成するために、これらの新サービスを早急に導入しなければなりません。

　皆様の承諾をもって、このプランを早速実行したいと思います。回復プランには、5万ドルと延べ120時間分の労働力が必要です。

　ご清聴ありがとうございました。何かご質問はありますか？］

EX. 4 Example Presentations
完成版プレゼンテーションの例

Ex.1 Sales: New Products to Overseas Distributors
[セールス：海外販売代理店に対する新製品の発表]

<留意点>
聞き手・聴衆に製品の数多い特徴を覚えてもらうには、どう説明したらよいでしょう。すべてを記憶してもらうのは難しいとしても、いくつかの点を記憶してもらうことは可能です。従って、聞き手に覚えてもらいたいポイントを絞って、それに沿ってプレゼンテーションを組立てるようにします。

<聞き手の分析>
Who are they?
現在の顧客。オフィスオートメーション製品を扱う様々な代理店である。出席者の多くはサービエンジニアやセールスパーソンである。

What is their level of knowledge?
市場の製品やマーケットについてはよく知っており、我が社についても熟知しているが、新しいファクシミリについてはほとんど知らない。出席しているセールス担当の何人かは知っているかもしれないので、追加情報を出す必要がある。

What do they want to learn?
価格やスピードといった新製品シリーズの主なセールスポイントについて。エンジニアとセールスパーソンが出席しているので、バランスよい情報を提供する必要がある。

How will they use my information?
この情報を基に、新しいファクシミリシリーズの販売・マーケティング戦略を計画してもらう。

<利点とキーメッセージ>
The main benefit of the new facsimiles is that they have high performance

features and competitive prices, **which means that** the machines will be in high demand and easy for the distributors to sell.

［新しいファクシミリの主な利点は、高性能で、競争力ある価格であること。すなわち、高い需要が見込め、代理店にとって販売しやすいこと。］

＜プレゼンテーションの組み立て＞

Introduction
Background: New range launched last week
Objectives: Introduce new models and its features
Agenda: 3 key sales features: Speed, Memory and Price
Main Benefit: High performance features and competitive prices—expand market share

Key Point: Price: (OHP 4): Compare with competitors

Key Point: Memory Capacity (OHP 3):

Key Point: Speed—very fast (OHP 2):
Fast printing, fast transmission and fast scanning:
Comparison with competitors:
　Faster in all aspects
　Highest performance
Save time and money
Summarize—link to memory

Conclusion
Summary of Main Points: High performance machines and competitive price
Main Benefit: The demand will be high—sell a lot of machines expand market share
Action: Ready to receive your first orders
Thank Audience, ask for questions

Introduction
自己紹介、自社の概要、製品の概要を簡潔に述べます。製品の主な特徴を話し、主な利点・有益性を説明します。競合製品と差別化された特徴に焦点を当ててください。聞き手・聴衆に耳を傾けてもらえるように、製品の重要な利点を強調してください。

Body
製品の特徴と利点を詳しく述べます。各特徴を競合品と比較します。1つの特徴から次の特徴に移る際には、聞き手に記憶してもらいたい利点とキーポイントの要約を忘れないようにしてください。
1) 1つ目の特徴と利点の説明、競合品との比較、利点の要約、次の特徴へのつなぎ。
2) 2つ目の特徴と利点の説明、競合品との比較、利点の要約、次の特徴へのつなぎ。
3) 3つ目の特徴と利点の説明、競合品との比較、利点の要約、結びへのつなぎ。

Conclusion
製品の主な特徴と利点を要約し、繰り返し述べます。聞き手に求めたい行動、例えばその製品を注文してもらいたいことを伝えます。

＜プレゼンテーション全文＞

```
                    1/5
    The New Kadota
    SpeedPrint Facsimiles

    KT-100 / KT-105 / KT-110


    World Beating Performance
    World Beating Price
```

🔘 23

Background Information [背景説明]

"**Good morning everybody,** it's nice to be here in Australia and to see you all again. As you already know, last week Kadota launched our new range of SpeedPrint plain paper facsimiles in Japan, and from next month we will begin selling these products on a worldwide basis. There are three models in the new range: the KT-100, the KT-105 and the KT-110.

Presentation Objectives [目的説明]

And the reason I'm here today is to introduce these new models to you and to show you how these facsimiles are better than the competition in both performance and price.

Presentation Contents [内容説明]

In particular I am going to talk about the three key sales features of the SpeedPrint range. These are:
Speed—they are faster than the competition. Memory capacity—they have the highest capacity of any models on the market. And price—the SpeedPrint range is 10% cheaper than our main competitors.

Reason to Listen [聞く理由づけ]

By the end of my presentation I hope you will have enough information about the new range to understand what we mean by world beating performance and world beating prices. And I hope that you will see how the new facsimiles will enable you to beat the competition and to increase your market share throughout Australia.

Link to First Key Point [つなぎ]

Let's start by looking at speed.

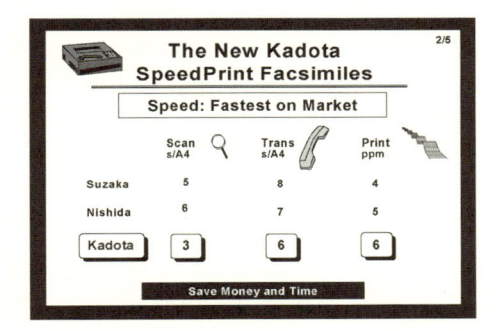

```
                    The New Kadota              2/5
                    SpeedPrint Facsimiles
                    Speed: Fastest on Market
                    
                    Scan      Trans      Print
                    s/A4      s/A4       ppm
          Suzaka      5         8          4
          Nishida     6         7          5
          Kadota      3         6          6
                    Save Money and Time
```

24

Introduce Key Point and Visual [キーポイント・ビジュアル紹介]

All the models in the SpeedPrint range are fast. Fast at printing, transmission and scanning. Much faster than the competition, in fact. As I would like to show you, **this chart shows** a comparison with our two major competitors, Suzaka and Nishida Corp.

Supporting Details [詳細説明]

As you can see, the SpeedPrint range has the highest performance in all three areas: printing speed, transmission speed and scanning speed. I have details of these figures which I can give you after my presentation, if you would like.

You may say 'They are only a few seconds faster than the competition.' That is true. But if your customers are sending hundreds of pages by fax every day, that extra speed will save a lot of time and, more importantly, save money.

To briefly summarize that point, please remember that Kadota SpeedPrint faxes are fast. Fast at printing, fast at transmitting, fast at scanning. And they are faster than the competition. **The main benefit** for the customers is that they can save a lot of money on their telephone charges. This is a key sales feature of the new range. That is why we call them SpeedPrint.

Transition to Next Key Point [つなぎ]

OK, now I'd like to move on to the second key sales feature, memory capacity.

25

Introduce Key Point [キーポイント紹介]

From our market research we know that a large memory capacity is becoming more and more important for customers.

Supporting Details [詳細説明]

There are two reasons for this. First, speed and convenience. It's much quicker to store faxes in memory than to print them out. Also, customers want to be able to scan documents into memory for transmitting at a later time; in the evening for example, when telephone rates are lower. Or when there is a long queue of people waiting to send a fax. And the second reason is cost. The cost of storing an incoming fax electronically is much lower than printing it out on paper. So facsimiles with large memories are obviously attractive products for customers.

```
┌─────────────────────────────────────┐
│                              3/5    │
│        The New Kadota               │
│        SpeedPrint Facsimiles        │
│   ┌─────────────────────────────┐   │
│   │  Memory: Largest on Market  │   │
│   └─────────────────────────────┘   │
│                                     │
│         Nishida  Suzaka  ┌Kadota┐   │
│                          │      │   │
│   Standard   0.5    1    │  1   │   │
│   MB                     │      │   │
│   Maximum    6      7    │  9   │   │
│   MB                     └──────┘   │
│   ┌─────────────────────────────┐   │
│   │    Powerful Sales Feature   │   │
│   └─────────────────────────────┘   │
└─────────────────────────────────────┘
```

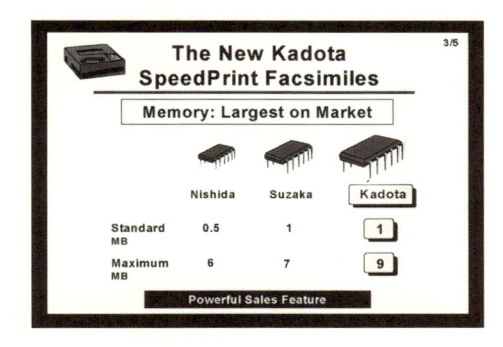

Introduce Visual
[ビジュアル紹介]

This chart shows a comparison with our competitors' models. **As you can see,** the standard memory is almost the same, but SpeedPrint facsimiles beat the competition on maximum memory, by up to 3 MB. As you can see the KT-110 can be expanded up to a very large 9 MB, or about 540 pages of A4. That's enough for storing a whole book.

Repeat and Emphasize
[繰り返しと強調]

Please remember that the SpeedPrint facsimiles have a large memory, and that this can be a very powerful sales feature for you.

Mini Summary
[ミニサマリー]

In summary, then, a large memory capacity allows customers to spend less time actually standing at the machine to send faxes and also lowers costs. So please don't hesitate to stress the benefits of expanding the on-board memory to your customers.

Ask for Questions Link to Next Key Point
[感謝の辞・つなぎ]

Before I continue, do you have any questions so far?
Now let's look at the last sales feature, price.

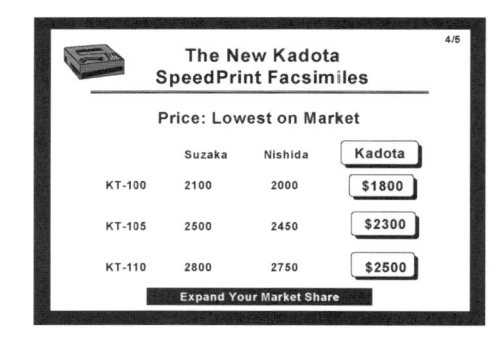

```
                                                              4/5
              The New Kadota
              SpeedPrint Facsimiles

            Price: Lowest on Market

                   Suzaka   Nishida    Kadota
            KT-100  2100     2000      $1800

            KT-105  2500     2450      $2300

            KT-110  2800     2750      $2500

               Expand Your Market Share
```

Introduce Next Key Point [キーポイント紹介]

My next slide shows the suggested sales price, in Australian dollars, of the SpeedPrint range, and a comparison with our competition.

Supporting Details [詳細説明]

We believe that these prices, $1,800 for the KT-100, $2,300 for the KT-105 and $2,500 for the KT-110, are very competitive in your market.

As you can see, each facsimile in the SpeedPrint range is cheaper than the equivalent model from Suzaka or Nishida Corp.

So we believe these excellent prices will enable you to sell a lot of machines. Which is good for you, and good for us, too.

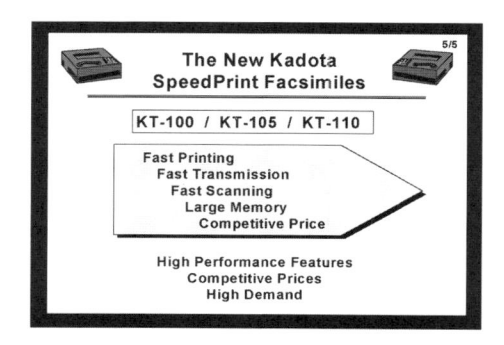

```
                                                              5/5
              The New Kadota
              SpeedPrint Facsimiles

          KT-100 / KT-105 / KT-110

             Fast Printing
             Fast Transmission
              Fast Scanning
              Large Memory
              Competitive Price

            High Performance Features
              Competitive Prices
                High Demand
```

174 | Section 3: 様々なプレゼンテーションの例

27

Repeat and Emphasize
[繰り返しと強調]

I would like to finish my presentation by reminding you of the key sales features of the new Kadota SpeedPrint range of facsimiles. These are: fast printing, fast transmission and fast scanning

Audience Action
[行動を促す]

We believe that the combination of high performance and competitive prices will ensure your success with the SpeedPrint range, and we look forward to receiving your first order.

Thank the Audience Ask for Questions
[感謝の辞・質疑応答]

Thank you.
Do you have any questions?"

【訳】
[皆様、おはようございます。ここオーストラリアで皆様に再会できましたことをうれしく思っております。ご存じのように、先週、カドタは、普通紙用ファクシミリの新シリーズ、SpeedPrintを日本で発売しました。そして来月から全世界でこの製品の販売を開始します。新シリーズには3つのモデルがあります。KT-100、KT-105、そしてKT-110です。

本日ここに参りました理由は、この3つの新モデルをご紹介し、他社製品と比べ、性能と価格の両面でいかに当社のファクシミリが優れているか、ご説明するためです。

特に、SpeedPrintシリーズの3つのセールスポイントについて**お話ししたいと思います**。この3つのポイントとは、まずスピードにおいて、他社製品を上回ります。メモリー容量では、市場で最大のメモリー容量を誇ります。そして価格です。このSpeedPrintシリーズは、他社の主要製品に比べ価格が10%も安くなっています。

プレゼンテーションの終わりには、皆様にこのシリーズについて十分にご理解いただき、私たちがなぜ、ずば抜けた性能と価格の安さを誇っているかをおわかりいただきたいと思います。そして、この新しいファクシミリシリーズによって、どのようにして他社との競争に勝ち、オーストラリア全土でマーケットシェアを拡大できるかがおわかりいただけるものと願っております。

では、スピードの面から見ていきましょう。

SpeedPrintシリーズの全モデルは速さを誇ります。速い印刷、速い送信、速いスキャニングです。実際、他の競合製品よりずっと高速です。見ていただきますように、**この表は**2つの主要な競合他社、スズカ社とニシダ社との比較を**示しています**。

ご覧の通り、SpeedPrintシリーズは、印刷スピード、送信スピード、スキャニングスピードの3つの領域で最高の性能を備えています。これらの数値の詳細を用意してありますので、必要でしたら私のプレゼンテーション終了後に差し上げたいと思います。

皆様は、「ほんの数秒だけ、ライバル機種より速いだけじゃないか」と言われるかもしれません。確かにそうです。しかし、もし皆様のお客様が毎日何百枚ものページをファックスで送るとしたら、その数秒というスピードの違いが大幅な時間節減をもたらし、さらに重要なことに、経費をも削減することになるのです。

この点を簡潔にまとめますと、カドタのSpeedPrintファックスは高速だということを覚えておいてください。印刷が高速で、送信が高速、そしてスキャニングが高速です。他の競合製品よりも高速なのです。お客様にとって**最も重要な利点は**、電話代を節減できるということです。これが新シリーズのセールスポイントです。ですから、SpeedPrintと名づけているのです。

では、次のセールスポイントであるメモリー容量に移りたいと思います。

私どもの市場調査では、大きなメモリー容量にお客様にとってますます重要になってきています。

これには2つの理由があります。まず第1に、スピードと便利さです。メモリーにファックスをためておく方が、印刷出力するよりもずっと高速です。また、お客様は、ドキュメントを後で送信するためにメモリーに読み込んでおけることを望みます。例えば電話代が安くなる夕方に送るのです。あるいは多くの人が送信するために順番待ちをしている時などです。第2の理由はコストです。受信したファックスを電気的に記憶させておく方が、紙に印刷出力するよりはるかに安く済みます。ですから、大容量のメモリーを備えたファックスは、当然お客様にとっては魅力的な製品になるわけです。

この表は、競合モデルと比較した**ものです**。ご覧の通り、標準メモリーはほとんど同じですが、SpeedPrintファクシミリは、最大メモリーにおいて競合モデルに最大3MBまさっています。おわかりのように、KT-110は最大9MB、A4サイ

ズで約540ページ分まで増やせます。ほぼ本1冊分を蓄積するのに十分です。
　SpeedPrintファクシミリは、大容量メモリーを持ち、これが強力なセールスポイントとなりえることを**覚えておいてください**。
　まとめますと、つまり大容量メモリーによって、送信のためファックス機の前に立っている時間が減り、またコストも下がるのです。ですから、オンボード・メモリーを拡張する利点を十分にお客様に説明してください。
　次を続ける前に、ここまでで何かご質問はありますか？
　では最後のセールスポイントである価格について見てみましょう。
　次のスライドは、SpeedPrintシリーズ、及び競合他社製品の希望販売価格をオーストラリアドルで表わしています。
　ここにあるKT-100の1,800ドル、KT-105の2,300ドル、KT-110の2,500ドルという価格は、皆様の市場において大きな競争力をもつと確信します。
　ご覧の通り、SpeedPrintシリーズの各ファクシミリは、スズカやニシダの相当するモデルより安くなっています。
　ですから、この傑出した価格によって、皆様が数多くの製品を販売できると**確信しております**。皆様方、私ども双方にとって満足できる結果をもたらします。
　最後に、カドタの新しいファクシミリ、SpeedPrintシリーズの主なセールスポイントを繰り返して、**私のプレゼンテーションを終わりたいと思います**。そのセールスポイントとは、プリントが高速、送信が高速、そしてスキャニングが高速ということです。
　高性能パフォーマンスと価格の安さで、SpeedPrintシリーズの成功は間違いありません。皆様の初回オーダーをお待ちしております。
　ありがとうございました。
　何かご質問はございますか？]

Ex.2 Engineering: Presenting Technology at an International Conference
　　　［エンジニアリング：国際会議での技術発表］

＜留意点＞
会議の席上で犯しやすい間違いの1つに、発表する技術や研究の重要性や有益性を十分に明示することなしに、あまりにも多くの詳細情報を出しすぎることが挙げられます。その結果、聞き手・聴衆は、これから聞くプレゼンテーションがつまらないものと感じてしまいます。以下のストラクチャーが、聞き手に

情報を聞いてもらい、理解してもらうために有益です。参考にしてください。

＜聞き手の分析＞
Who Are They?
会議出席者の多くは米国の自動車産業で働く研究者、科学者、それにエンジニアなどである。

What is their level of knowledge?
自動車産業とその最新動向、及び市場開発についてはかなりの知識がある。また、おそらくアダプティブ・クルーズコントロール・システム（順応型車間自動制御装置）の一次元スキャニング・レーザーレーダーの基本技術や使い方は知っているだろう。しかし、二次元スキャニング・レーザーレーダーについての知識はあまりない。

What do they want to learn?
二次元スキャニング・レーザーレーダー・システムがどんな働きをし、従来の一次元システムに比較するとどこが優れているかといった最新技術の主な特徴や利点について。

How will they use my information?
この情報を将来のアダプティブ・クルーズコントロール・システムや高度道路交通システムの設計・計画に役立たせる。

＜利点とキーメッセージ＞
The main benefit of this new system is that it reduces wrong target detection or target loss by 75% for adaptive cruise control systems, **which means that** this new method greatly improves vehicle control performance.
［この新しいシステムの主な利点が、アダプティブ・クルーズコントロール・システムの標的探知エラーや検出ミスを75%減少させられるという点。すなわち、車のコントロール機能を飛躍的に向上させられるということ。］

＜プレゼンテーションの構成＞

Introduction
Background:: Introduce myself and Company
Objectives: Introduce new technology
Main Benefit: 75% reduction in detection errors: Greatly improves vehicle control performance
Agenda
Test results, Its Construction, and Comparison of methods:

Introduction
自己紹介し、自分がかかわっているプロジェクトや研究の背景を説明します。プレゼンテーションの目的と話のキーポイントを伝えます。話を聞いてもらうための明確な理由として、研究の主な重要性または利点・有益性を伝えます。

Key Point: Test results:
OHP: Test results 1-D, 2-D
75% reduction in detection

Key Point: Construction:
OHP: Basic construction
Complicated!

Key Point: Comparison of methods:
Show comparison on OHP: 3 main differences:
first difference:
 1-D horizontal only, 2-D horizontal/vertical
 gives wider detection angle
 (Show data on a table)

Body
自分の研究を詳しく説明し、既存の技術と自分の研究を比較します。そうすることにより、聞き手・聴衆の知識を高め、自分の研究を理解してもらえるようになります。研究を説明するための事例を示し、その優越性を実証する詳細データと試験結果を説明してください。
1）これまでの技術と新しい技術の比較。
2）構造や技術の詳細説明。
3）試験結果の説明。

Conclusion
Summary of Main Points: Kadota developed New 2-D radar
Main Benefit: 75% reduction in detection errors: important contribution to driver comfort and road safety
Future: ITS: Braking control, Surround monitoring

Conclusion
研究成果と利点・有益性を繰り返します。自分の研究の将来的な応用や方向性を示唆します。
質問を受けます。

＜プレゼンテーション全文＞

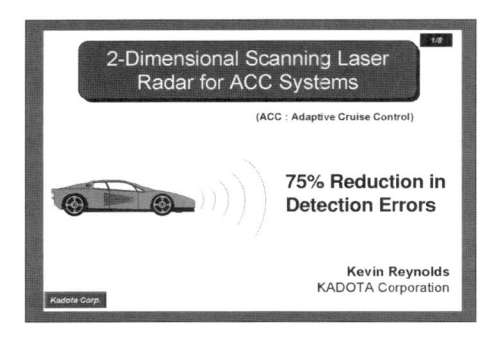

> **2-Dimensional Scanning Laser Radar for ACC Systems**
>
> (ACC : Adaptive Cruise Control)
>
> 75% Reduction in Detection Errors
>
> Kevin Reynolds
> KADOTA Corporation
> Kadota Corp.

🔊 28

Background Information
[背景説明]

"Good morning, ladies and gentlemen. **I am Philip Deane of the Kadota Corporation. As many of you already know,** Kadota is the second largest automotive parts maker in Japan. We manufacture a wide range of components; for example, Engine Management Systems, Instrument Clusters, Car Navigation Systems, Anti-lock Braking Systems, and so on.

I work in the Body Electronics Components Engineering Department, and I am in charge of developing laser radars.

Presentation Objectives
[目的説明]

In my presentation today, I am going to talk about our new two-dimensional scanning laser radar for Adaptive Cruise Control *(ACC)* systems.

Reason to Listen
[聞く理由づけ]

The main advantage of this technology is that it gives a 75% reduction in the number of detection errors compared to existing one-dimensional scanning methods. And so it greatly improves vehicle control performance with an ACC system.

> **Contents** (2/8)
>
> 1) 2-Dimensional Scanning Laser Radar
>   -comparison with 1-dimensional radar
> 2) Radar Construction
> 3) Test Results
> 4) Conclusion
>
> Five minutes available for questions at the end of the presentation
>
> Kadota Corp.

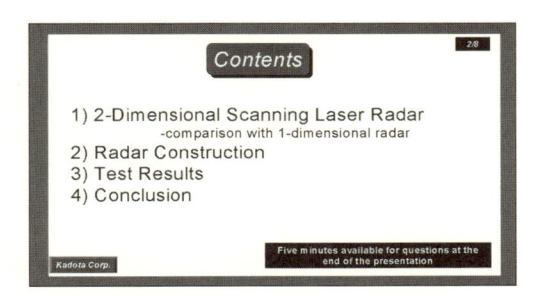

Presentation Contents [内容説明]

The contents of my presentation are as follows.
I'll start by giving a comparison of two-dimensional scanning provided by our new laser radar against one-dimensional scanning provided by previous systems. **Next,** I will briefly describe the basic construction of the radar. **Thirdly** I'll present some test results, **and finally,** I will summarize my presentation.

Ask for Questions Link to Next Key Point [感謝の辞・つなぎ]

Please note that I would be happy to answer any questions you have at the end of my presentation.
I would like to start by moving on to my first point.

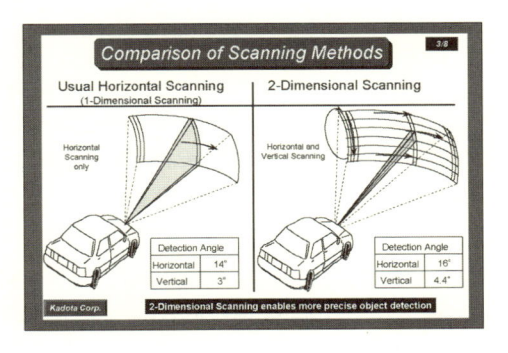

> **Comparison of Scanning Methods** (3/8)
>
> Usual Horizontal Scanning (1-Dimensional Scanning) — Horizontal Scanning only
>
> 2-Dimensional Scanning — Horizontal and Vertical Scanning
>
> | Detection Angle | |
> |---|---|
> | Horizontal | 14° |
> | Vertical | 3° |
>
> | Detection Angle | |
> |---|---|
> | Horizontal | 16° |
> | Vertical | 4.4° |
>
> Kadota Corp. — 2-Dimensional Scanning enables more precise object detection

29

Introduce Key Point and Visual [キーポイント・ビジュアル紹介]

This figure gives a comparison of the usual horizontal scanning provided by one-dimensional scanning and our new two-dimensional scanning method. **As you can see,** there are two main differences between the scanning methods.

Supporting Details
[詳細説明]

The first difference is that in one-dimensional scanning the beam moves in the horizontal direction only, as shown in the figure on the left. **And the second difference** is that the beam width in our two-dimensional scanning system is much smaller than that of one-dimensional scanning. **This gives us** a much higher resolution, **which means that** we can obtain a more precise recognition of vehicles and other objects which are ahead of the host vehicle.

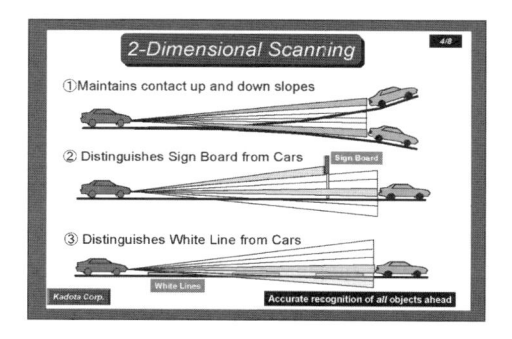

2-Dimensional Scanning 4/8
① Maintains contact up and down slopes
② Distinguishes Sign Board from Cars — Sign Board
③ Distinguishes White Line from Cars — White Lines
Kadota Corp. — Accurate recognition of *all* objects ahead

Introduce Visual
[ビジュアル紹介]

My next slide gives some examples of this.
Compared with the usual horizontal one-dimensional scanning, two-dimensional scanning enables more accurate recognition of vehicles.

Supporting Details
[詳細説明]

For example, because of the wide detection angle in the vertical direction, the two-dimensional scanning system is better at detecting a vehicle as it goes up or down a slope. One-dimensional scanning would lose the vehicle quite quickly under these conditions.

Secondly the two-dimensional scanning system can distinguish a sign board on the road from a vehicle under that sign board, which was difficult to distinguish with one-dimensional scanning.

And finally two-dimensional scanning also removes white line data on the road. Previously, one-dimensional scanning systems could mistake white line data for preceding vehicle data. But two-dimensional scanning overcomes this problem because the beam resolution is much greater, **which gives** a much more accurate recognition of all types of objects ahead, not just vehicles.

> **Explain Benefits**
> [利点の説明]

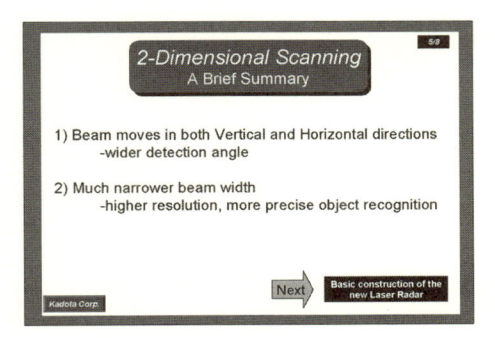

2-Dimensional Scanning
A Brief Summary

1) Beam moves in both Vertical and Horizontal directions
   -wider detection angle

2) Much narrower beam width
   -higher resolution, more precise object recognition

Next Basic construction of the new Laser Radar

Kadota Corp.

> **Transition to Next Key Point**
> [つなぎ]

OK, let me briefly summarize that. In two-dimensional scanning, the beam moves in both the horizontal and vertical directions. This gives a wider detection angle and a much narrower beam width than with one-dimensional scanning.

This gives us a much higher resolution, **which means that** we can obtain a more precise recognition of vehicles and other objects which are ahead of the host vehicle.

Link to Next Key Point
[次のキーポイントへ]

Now I would like to move on to the basic construction of our new laser radar.

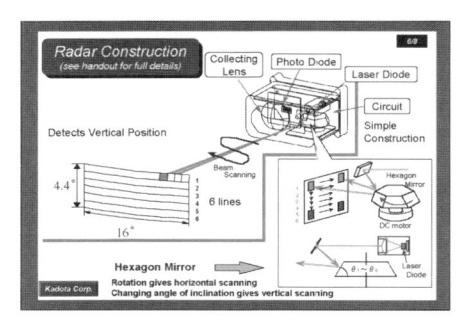

Introduce Key Point
[キーポイント紹介]

This figure shows the basic construction of the radar. It's a little complicated, but I would like you to focus your attention on the area, here. *(top right)*

Supporting Details
[詳細説明]

Let me explain how it works. The laser-diode emits a laser beam which is irradiated forward by the turning hexagon mirror, here. The laser beam travels forward and strikes an object, for example a car or perhaps a road sign. The reflected beam is collected by the collecting lens, here. The laser beam then strikes the photo-diode, which sends a signal to the circuit, which then sends an output to the controller, which then controls the speed of the host vehicle.

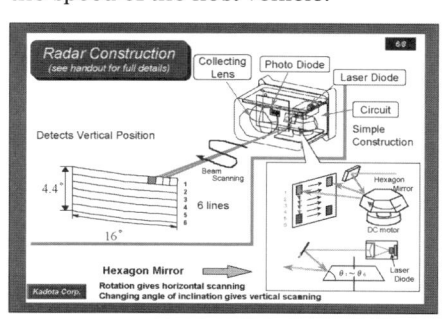

Supporting Details
[詳細説明]

Let's look more closely at the turning hexagon mirror. The mirror is rotated by a DC motor, here. You can see how the laser beam strikes this small mirror here, and then is irradiated forward by the rotating hexagon mirror.

The rotation of the mirror results in horizontal scanning, **as shown here.**

Explain Benefits
[利点の説明]

Vertical scanning is achieved by changing the angle of inclination of the hexagon mirror itself. The mirror can move in six precise angles of inclination, **which means that** the detection area is divided into six lines in the vertical direction as shown here.

This vertical scanning means that the system can detect the vertical position of an object and this enables more precise recognition.

Link to Next Key Point
[次のキーポイントへ]

You will find more details of the construction in my published paper.

Now let's look at the key results we obtained during testing.

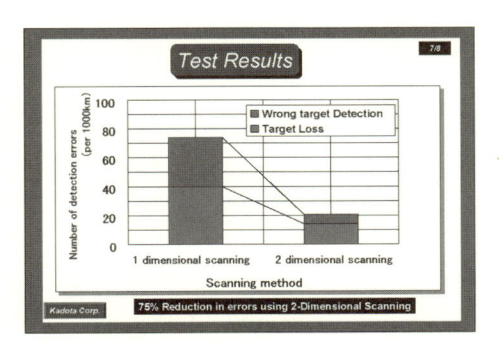

Ex.4: 完成版プレゼンテーションの例 | **185**

[31] Introduce Key Point [キーポイント紹介]

This figure shows a comparison of the number of detection errors between one-dimensional scanning and two-dimensional scanning. The total number of detection errors per 1,000 km is 75 for one-dimensional scanning but is only 20 for two-dimensional scanning.

Supporting Details [詳細説明]

This represents a 75% reduction in wrong target detection and target loss, **which shows that** the two-dimensional method is far superior to one-dimensional scanning. Of course, our target for the future is to get as close to 100% error-free detection as we possibly can. I hope that someday we will be able to achieve that goal.

Link to Next Key Point [次のキーポイントへ]

Now I would like to finish my presentation by summarizing my main points.

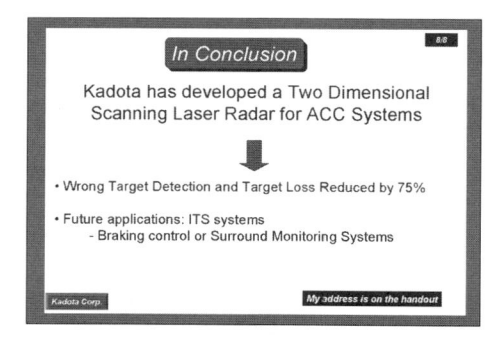

In Conclusion

Kadota has developed a Two Dimensional Scanning Laser Radar for ACC Systems

⬇

- Wrong Target Detection and Target Loss Reduced by 75%

- Future applications: ITS systems
    - Braking control or Surround Monitoring Systems

Kadota Corp.   My address is on the handout

---

[32] Repeat and Emphasize [繰り返しと強調]

Kadota has developed a two-dimensional scanning laser radar for ACC systems.

Repeat Benefits [利点の繰り返し]

The main benefit of this new system is that it reduces wrong target detection or target loss by 75% for adaptive cruise control systems, **which means that** this new method is making an important contribution to both

Mini Summary [ミニサマリー]	**In the future we see applications** for this radar in Intelligent Transport Systems—for example Braking Control or Surround Monitoring Systems.
Audience Action [行動を促す]	**If you would like to know more** about this system or other information, please contact me at the address on my handout.
Thank the Audience Ask for Questions [感謝の辞・質疑応答]	Thank you for your kind attention. Do you have any questions?"

【訳】
[皆様、おはようございます。**カドタ・コーポレーションのフィリップ・ディーンです。皆様のうち多くの方がすでにご存じのように、**カドタは日本で業界2位の規模を誇る自動車部品メーカーであります。私どもは多岐にわたるコンポーネントを製造しております。例えば、エンジン制御システム、計器パネル類、カーナビゲーション・システム、アンチロックブレーキ・システムなどです。

私は車体エレクトロニクス・コンポーネント技術部に所属しており、レーザーレーダーの開発の責任者であります。

本日のプレゼンテーションでは、アダプティブ・クルーズコントロール・システム（順応型車間自動制御装置）用の、二次元スキャニング・レーザーレーダーについてご紹介したいと思います。

この技術の主な特長は、これまでの一次元スキャニング方式に比べて、探知エラーを75%も減少させることです。また、そのためACCシステムによる車体の制御性能が、より一層改善されることです。

本日のプレゼンテーションでは、以下の内容で話を進めて参ります。
まず、当社の新しいレーザーレーダーが提供する二次元方式と、従来のシステムによる一次元方式との比較について。**次に**レーダーの基本構造を簡単に説明いたします。**3番目に、**試験結果をお見せします。**そして最後に、**全体の要約をいたします。

プレゼンテーションの最後では、皆様の質問に喜んでお答えしたいと思っております。

　では、最初のポイントから始めたいと思います。

　この図は、一次元スキャニング方式による通常の水平スキャニングと当社の最新の二次元スキャニング方式とを比較したものです。ご覧の通り、これらのスキャニング方式には2つの大きな違いがあります。

　最初の相違点は、一次元スキャニングでは、左の図のようにビームは水平方向にしか移動しないこと。2番目は、当社の二次元スキャニング方式では、ビームの幅が一次元方式よりも狭くて済む、ということです。これによって、より高い解像力が得られ、すなわち前方にある他の車や物体をより正確に識別することができる、というわけです。

　次のスライドでいくつかの例をお見せしましょう。

　通常の一次元水平スキャニング方式に比べ、二次元スキャニング方式は、より正確に前方の車を識別できます。

　例えば、垂直方向の広い探知角のために、二次元スキャニング方式では前方の車が坂を上がったり下ったりしている時も発見しやすいのです。一次元方式では、こうした状態では車を一瞬のうちに見失ってしまうでしょう。

　第2に、二次元方式は、道路標識とその下を通っている車を判別できます。これは、一次元方式では判別しにくいことです。

　そして最後に、二次元方式は、道路上の白線のデータも取り除くことができます。これまで、一次元方式では、白線データを先行する車のデータと間違えることがあったのですが、二次元方式では、レーザービームの解像力の向上によって、こうした問題を克服できるようになったのです。つまり、車のみならず、前方のどんな物体でもより正確に識別できるようになったということです。

　では、これらをもう一度まとめてみましょう。二次元スキャニング方式では、ビームは水平、垂直の両方向に移動します。これは、一次元スキャニング方式よりも、より広い探知角が得られ、ビームの幅をせばめられることになります。

　これによって、より高い解像力が得られ、すなわち車の前方にある他の車や物体を、より正確に識別できることになるわけです。

　では、新しいレーザーレーダーの基本構造に移りたいと思います。

　この図にはレーダーの基本構造が示されています。少々複雑ですが、特にこの部分（右上）に注目してください。

　このシステムがどのように機能するかをご説明します。レーザーダイオード

が、レーザー光線を放射し、その光線は、回転する六角ミラーによって前方へ送られます。レーザー光線は前方に進み、目的の物体、例えば自動車や道路標識などに到達します。そこで反射した光線は、この集光レンズによって集められます。ここです。レーザー光線は、次にフォトダイオードに当たります。フォトダイオードは回路にシグナルを送り、その回路からコントローラーにアウトプットが送られ、それが車本体のスピードをコントロールするのです。

　六角回転ミラーについて**詳しく見てみましょう。**ミラーはDCモーターによって回転します。ここです。レーザー光線がどのようにこの小さなミラーに当たり、それからこの六角回転ミラーによって前方へ送られるか、おわかりいただけるでしょう。このミラーの回転によって水平スキャンが行われます。**ここに示されている通りです。**

　垂直スキャンは六角回転ミラー自体の傾斜角を変えることによって作動します。ミラーは正確に6通りの傾斜角で移動します。**ということは、**ここにありますように、探知部分が垂直方向に6列に分割される**ということです。**

　垂直スキャンによって、このシステムは物体の垂直方向の位置を探知し、それによってより正確に識別できる**ことになるのです。**

　仕様書に構造の**詳細が**載っておりますので、ご覧になれます。

　それでは、実験で得られた結果を見ていきましょう。

　この図は、一次元スキャニングと二次元スキャニングとの検知ミスの数を比較したものです。1,000 kmあたりの検知ミスは一次元スキャニングでは75、二次元スキャニングでわずか20となっています。

　このことは、検知エラーや検出ミスを75%減少させる**ということであり、つまりは**二次元スキャニング方式が一次元スキャニング方式より、はるかに優れている**ことになります。**もちろん、私どもの目的は将来的にその数値を限りなく100%に近づけることにあります。いつの日か、このゴールに到達できるであろうことを願ってやみません。

　それでは、主なポイントをまとめて、私のプレゼンテーションを終わりにしたいと思います。

　カドタはACCシステムのための二次元スキャニング・レーザーレーダーを開発しました。

　この新しいシステムの主な利点は、アダプティブ・クルーズコントロール・システムにおいて、標的の検知エラーや検出ミスを75%減少することができる点です。**つまりこの新しい方法により、**ドライバーに対して快適さと安全性の

両面で、大いに貢献することができる**というわけです**。

　将来、この技術が高度道路交通システムに**応用される**と考えられます。例えば、ブレーキ制御や全方位監視システムなどが考えられます。

　このシステム、またはその他についての情報を**もっとお知りになりたい方は**、ハンドアウトにあります当社の住所の私あてにお問い合わせください。

　ご清聴ありがとうございました。

　ご質問はありますか？〕

> **Ex.3 Internal: Asking for Resources to Meet a Client's Needs**
> 　[社内向け：顧客ニーズに対応するためのリソース（人員・予算）の要求]

＜留意点＞

このストラクチャーは、上層部を説得する目的で提言する時に用いることができます。その際には、マネジャーの視点から物事を考えることが極めて重要です。つまり、自分がマネジャーになったことをイメージ化することです。マネジャーとしては、どのような情報が必要か、十分に検討してください。

＜聞き手の分析＞

Who Are They?
戦略的な経営決定権とプロジェクトの人員・予算配分の権限をもった経営陣。1～2名の取締役も参加する。

What is their level of knowledge?
様々な領域について知識は持っているが、顧客ニーズの最新の変化とそれが我々のセールスに及ぼす変化については認識していない。

What do they want to learn?
顧客の新しい業務計画がどんなものか、それが我が社にどのような影響を及ぼすかについて知りたがっている。また、顧客の要求にこたえるための新しいデバイスの設計・開発とそのためのリソースがなぜ必要かも知りたがっている。

How will they use my information?
新しいデバイスの設計・開発のために、100万ドルを投資すべきかどうかを決定するための情報として利用する。経営陣には1週間のうちに決定してもらい

たい。

<利点とキーメッセージ>

The main benefit of my proposal is that we can develop a chip set for just $1 million and achieve $150 million net revenue after one year, **which means that** we can recover our business plan and meet our customer's needs.
[この提案は100万ドルでチップセットを開発でき、1年後には1億5,000万ドルもの売り上げが達成できること。すなわち、私たちの業務計画を盛り返すことができ、顧客のニーズにもこたえられるということ。]

<プレゼンテーションの構成>

Introduction
Background: Kadota are changing direction
Objectives: Present Kadota's new plan and explain what it means for our business
Agenda: Kadota's new plan—the problems—my proposal
Main Benefit: $1 million investment achieve $150 million
Move to first point: New Direction

Key Point: Solution—my proposal:

Key Point: Problem (OHP 3): 3 reasons why GSM 1.5 is not suit-

Key Point: Kadota's new business plan
Show comparison of old and new plan on OHP 2
Old Plan 12 million units—GSM 1.5 chip
New Plan High end model–TalkWell 4 million units—$45 million low/mid-end SmallTalk 15 million units—$105 million (Estimate)

Introduction
現況を簡単に述べ、上層部のメンバーに新規開発の必要性を報告し、その目的を伝えます。この事例は、顧客のニーズを満たすためのリソース（人員・予算）を要請するものです。聞き手である上層部が耳を傾けるようなこと、例えば、提言を受け入れた場合の利益を説明しましょう。

Body
顧客のニーズを詳しく説明します。問題と自分の提案の可能性を述べます。提案と必要なリソースを詳しく伝えてください。
1) 状況と、顧客の新しい事業方針の説明。
2) 問題と提案の詳細。
3) 提案が問題に対する解決策となる理由とその実現可能性を明確にする。
4) 必要なリソースの要請。

Conclusion
Summary of Main Points: Meet Kadota's needs and achieve $150 million for both models
Resources: 1 T.L. , 3 S.E., & 6 Designers and $1 Million budget
Action: Decision by end of next week
Thank Audience, ask for questions

Conclusion
顧客のニーズと必要なリソースを簡潔にまとめて繰り返し、決定を促します。

<プレゼンテーション全文>

```
                    Kadota Corporation                 1/7
              New GSM Business Plan for YR 2002

                     They are changing direction!
                              ↓
                     Which will bring us both a
                     problem and an opportunity
                                              Philip Deane
                                         Marketing Department
                                             October 15, 2001
```

33

Background Information [背景説明]

"Good afternoon everyone, and thank you for coming. **As some of you already know,** yesterday I had lunch with Mr. Tanaka, the Director of Product Development at the Kadota Corporation, our most important customer for GSM chips. **He told me some surprising and rather shocking news.** That is, Kadota have a new business plan for the year 2002. Basically speaking, they are changing direction.

Presentation Objectives [目的説明]

So in my presentation today, I would like to describe the new direction that Kadota are taking, and **I would also like to explain how this presents us with both a problem and an opportunity.**

| Presentation Contents [内容説明] | **I will also be asking for your approval** for the resources my team needs to be able to grasp this new opportunity, and to be chosen as the key supplier to meet Kadota's new business plan. **I'll start by explaining** exactly how Kadota are changing direction. **Next I'll explain** why this presents us with a problem, and why this problem also presents us with an opportunity. **Then I will give you** my proposal to meet Kadota's requirements, **and finally** I'll detail the resources that we need. |

| Reason to Listen [聞く理由づけ] | **By the end of my presentation** I hope that you'll agree that for an investment of $1 million we can achieve sales of $150 million. |

| Link to First Key Point [つなぎ] | Before I start, do you have any questions? **OK, then let's start by looking at** how Kadota are changing direction. |

[Slide: Kadota – New GSM Business Plan for YR 2002 (2/7)
Old Plan: Kadota HandyTalk – 12 Million Units, $120 Million order, GSM 1.5 Chip. Problem: No solution. Opportunity: Create solution!
New Plan: High End – Kadota TalkWell / Voice Recognition System – 4 Million Units, $45 Million order, GSM 1.5 Chip ✓. Mid/Low End – Kadota SmallTalk – 15 Million Units, $105 Million order?, Chip?]

🔘 34

| Introduce Key Point [キーポイント紹介] | **This slide shows the new direction** that Kadota are taking for their Year 2002 project. **As you can see,** their old plan was to produce 12 million units of the HandyTalk telephone. For us this represented an order of $120 million. **This was because** we had a solution, which is our GSM 1.5 chip. |

Supporting Details
[詳細説明]

However, Kadota's new plan is to produce two models: A high-end model called the TalkWell and a mid/low-end model called the SmallTalk. Kadota plan to produce four million units of the high-end model, which represents an order of $45 million for us, as we can use our existing GSM 1.5 chip. On the other hand, Kadota plan to produce 15 million units of the mid/low-end model. Now, we estimate that this represents an order of about $105 million—however, this is only an estimation because we do not have a solution. In other words, we have no chip to meet the requirements of the mid/low-end model.

Summarize Key Point
[キーポイントまとめ]

So you can see that the new plan gives us a problem—we have no solution for the mid/low-end model—**but it also gives us** an opportunity: that is, to create a new chip to meet Kadota's requirements for the SmallTalk telephone.

Transition to Next Key Point
[つなぎ]

Before I talk about creating a new chip, **I would like to explain in more detail** why our GSM chip is not a solution for the mid/low-end SmallTalk model.

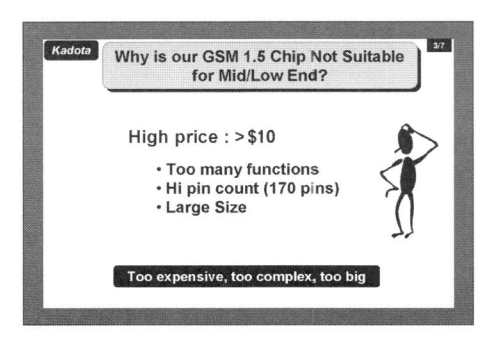

Kadota | **Why is our GSM 1.5 Chip Not Suitable for Mid/Low End?** | 3/7

High price : >$10

- Too many functions
- Hi pin count (170 pins)
- Large Size

Too expensive, too complex, too big

---

194 | Section 3: 様々なプレゼンテーションの例

35 Introduce Key Point [キーポイント紹介]

As you can see from this slide, our current GSM 1.5 chip is not a solution for the SmallTalk model for three reasons.

Supporting Details [詳細説明]

First, the price is too high. $10 is not a competitive price for the mid/low-end model. Also, the GSM 1.5 chip has too many functions that will not be used in the SmallTalk model. It also has a high pin count of 170 pins and it has a large size. In other words, **it is too expensive, too complex and too big.**

Transition to Next Key Point [つなぎ]

Let me just summarize that so far. Kadota are changing their business direction. We were expecting them to produce only one model, using our GSM 1.5 chip, representing an order value of $120 million. However, they are now producing two models, and we only have a solution for one of them. **Before I move onto my proposal, do you have any questions so far?**

Kadota　　　　Proposal　　　　4/7

Co-Develop New Low Cost GSM Chipset with Kadota for the Mid/Low End Model

Work together to achieve their business plan and $150M sales order

---

36 Introduce Key Point [キーポイント紹介]

My proposal is quite simple: to co-develop a new, low-cost GSM chip set together with Kadota for the mid/low end SmallTalk model.

If we do this, **I believe we can achieve** their business plan for their year 2002 project and achieve a $150 million sales revenue for us.

Link to Supporting Details
[詳細説明へのリンク]

Now, let's look in more detail at Kadota's needs and our proposed solution.

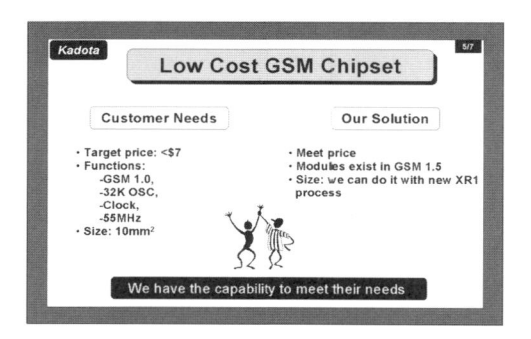

```
Kadota                                              5/7
           Low Cost GSM Chipset

      Customer Needs              Our Solution

    • Target price: <$7        • Meet price
    • Functions:               • Modules exist in GSM 1.5
        -GSM 1.0,              • Size: we can do it with new XR1
        -32K OSC,                process
        -Clock,
        -55MHz
    • Size: 10mm²

         We have the capability to meet their needs
```

Introduce Key Point
[キーポイント紹介]

Kadota's needs are as follows. A target price of $7 per chip, with the following functions. GSM 1.0, a 32 KHz switching-speed, a clock and a processing speed of 55 MHz. And they want all of this in a package no bigger than 10 square millimeter.

Supporting Details
[詳細説明]

Now, we have analyzed this very carefully and we are sure that we can meet Kadota's requirements on price. The functions they require already exist in our GSM 1.5 chip, so we can use only those as specified, and strip away the others that they don't need. And finally our new XR1 design and manufacturing process can meet Kadota's target size. **In other words, we have the capability to meet their needs.**

Transition to Next Key Point
[つなぎ]

OK, so that's the situation, next let's look at the resources we need to get this deal.

```
Kadota                                          6/7
            ┌─────────────────────────┐
            │    Costs & Resources    │
            └─────────────────────────┘

   ┌──────────────────┐    ┌──────────────┐
   │ Development Cost │    │  Resources   │
   └──────────────────┘    └──────────────┘

   • Specification  $90k      • 1 Team Leader
   • Design         $540k     • 3 System engineers
   • Sample         $200k     • 6 Designers
   • Qualification  $200k

   Total            $1,030k

   ┌──────────────────────────────────────────┐
   │ We can develop the chipset with just $1 million │
   └──────────────────────────────────────────┘
```

37

Introduce Key Point
[キーポイント紹介]

This slide shows the costs and resources required for this project. As you can see, the total development costs are $1 million. By the way, I have the details of how we calculated these figures on an Excel spreadsheet, which I can e-mail to you later if you like.

Supporting Details
[詳細説明]

The resources we need are just one team leader, three system engineers and six designers. I'm not sure where we can get these people from, I'll leave that up to you as it's your decision.

But the key message is that we can develop the chip set for a cost of just $1 million.

Transition to Next Key Point
[つなぎ]

OK, let me finish my presentation by summarizing the key points.

```
┌─────────────────────────────────────────┐
│ Kadota                            7/7   │
│          ┌─────────────────┐            │
│          │  In Conclusion  │            │
│          └─────────────────┘            │
│  ┌────────┐                             │
│  │ Target │                             │
│  └────────┘                             │
│       Achieve $150 Million sales order in YR2002 │
│              for High & Mid/Low end models       │
│                                         │
│  ┌──────────────────┐                   │
│  │ Resources Needed │                   │
│  └──────────────────┘                   │
│            • 1 Team Leader              │
│            • 3 System Engineers         │
│            • 6 Designers                │
│                                         │
│  │ I need your decision as soon as possible │
└─────────────────────────────────────────┘
```

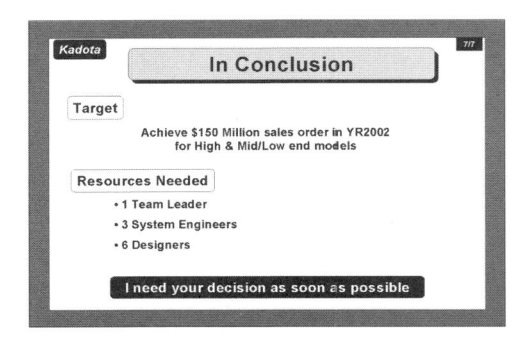

◉ 38

Repeat Key Points
[キーポイント繰り返し]

Our target is to meet Kadota's new business plan and so achieve sales of $150 million for both their high- and mid/low- end models for the year 2002.

Audience Action
[行動を促す]

The resources needed are one team leader, three system engineers, six designers and a total budget of $1 million.

I need to give Mr. Tanaka a reply by the end of next week. So I need your decision as soon as possible.

Thank the Audience Ask for Questions
[感謝の辞・質疑応答]

Thank you for listening.
If you have any questions, I would be happy to answer them.

【訳】
[皆様、こんにちは。ご出席ありがとうございます。**皆様の中で何人かの方は すでにご存じのように**、私は昨日、我が社のGSMチップの最も重要な顧客で あるカドタ・コーポレーションの製品開発部長、田中氏と会食をして参りまし た。**田中氏から驚くべき、ショッキングなニュースを聞かされました。**と申し ますのは、カドタは2002年に向けて、新しい事業計画を打ち立てたというので す。つまり、カドタは方向転換を図るということです。

　つきましては、**本日のプレゼンテーションでは**、カドタの新しい方向性を**報 告**し、これが我が社にとってどんな**問題**と、またチャンスをもたらすかをご説

明したいと思います。

　この新たな好機を逃すことなく、カドタの新事業計画に沿ったキーサプライヤーとして選ばれるために、私のチームに必要な人的資源、予算等のリソースについての**ご承諾もお願いいたします。**まずカドタの方向転換について**ご説明**します。次に、これがなぜ我が社にとって問題なのか、またなぜこの問題が我が社に新たなチャンスをもたらすことになるのかを**ご説明します。**その後、カドタからの要求に対する**提案を述べ、**そして**最後に**我が社に必要となるリソースについて詳細に説明します。

　このプレゼンテーションの終わりには、100万ドルの投資が1億5,000万ドルの売り上げにつながることに同意していただくことを願っております。

**　始める前に何かご質問はありますか？**

　では、カドタがどのような方向転換を図っているのか**から見ていきましょう。**

　このスライドは、カドタが目指している2002年度の事業計画の**新しい方向性を示しています。**ご覧の通り、以前までの計画は、携帯電話HandyTalkを1,200万台生産することでした。我が社にとっては、これは1億2,000万ドル分の受注を意味します。**これは、**我が社にソリューション（解決策）があった**からです。**つまり、GSM1.5チップです。

　しかしながら、カドタの新計画は、上位機種であるTalkWellと中・下位機種のSmallTalkの2機種を生産することにあります。カドタの計画では上位機種を400万台生産し、現行のGSM1.5チップを使えるので、我が社は4,500万ドルの受注が見込めるわけです。一方、中・下位機種は、1,500万台の生産が計画されています。そしてこれによって約1億500万ドルの受注が見込まれます。しかしながら、これは単なる見積もりにすぎません。というのも、我が社にはこれに対するソリューションがないからです。すなわち中・下位機種に適したチップがないということなのです。

　ですからおわかりのように、カドタの新計画は中・下位機種用のソリューションがないという問題を我々に投げかけているわけです。**が、同時に**SmallTalkモデルに適合する新しいチップを作るというチャンスが**与えられたことにも**なるわけです。

　新しいチップの製造**についてお話しする前に、**なぜ我々のGSMチップが中・下位機種のSmallTalkモデルのソリューションにならないか、をもっと詳しくご説明したいと思います。

　このスライドでおわかりの通り、我が社の現行のGSM1.5チップがSmallTalk

モデルのソリューションとならないのは、次の3つの理由からです。

最初に、価格が高すぎる点。10ドルでは、中・下位モデル用としては競争力がありません。また、GSM1.5チップには、SmallTalkモデルでは使用しない機能が多すぎる点。そして170ピンと多ピンであり、サイズも大きすぎること。つまり、**価格が高く、複雑で、大きすぎる**、ということなのです。

これまでのところを要約しますと、カドタはビジネスの方向性を変えようとしています。我々は、カドタが現行のGSM1.5チップを使った1機種だけを生産すると予想しており、それによって1億2,000万ドルの受注を見込んでいました。しかし、カドタは2機種を生産しようとしており、我々にはその1つに対するソリューションしかないという状況です。**私の提案に移る前に、ここまでで何か質問はございますか？**

私の提案というのは簡単です。それは、中・下位機種のSmallTalkモデルのための低価格のGSMチップセットを、カドタと共同で新しく開発することです。

もしこれができれば、カドタの2002年度事業計画が**達成され**、我々も1億5,000万ドルの売り上げを獲得することができると**確信します**。

では、カドタのニーズと我が社が提案するソリューションを**もっと詳しく見ていきましょう**。

カドタのニーズは次の通りです。目標価格は1チップあたり7ドルで、以下の機能をもっていることです。GSM1.0に準拠しており、32KHzのスイッチングスピードと、55MHzのクロック速度と処理速度を兼ね備えていること。それに、10mm四方を超えない大きさであること、です。

ここで、これらの点を注意深く分析してみたところ、価格においてはカドタの要求にこたえることができます。機能面の要求は、すでにGSM1.5チップで達成されています。ですから、指定された機能だけを使用し、必要でないものは取り去ればいいのです。最後に、私たちの新しいXR1設計・製造プロセスによって、カドタの目標サイズをクリアできます。**つまり私たちは、彼らのニーズにこたえられるということです**。

これが現状です。次に、この取引をまとめるために必要なリソースについて見てみましょう。

このスライドは、プロジェクトに**必要な予算と人員**を表わしています。ご覧の通り、総開発費は100万ドルになります。ところで、これらの数字がどう算出されたかの詳細がExcelの表にしてありますので、必要でしたら後ほどEメールでお送りいたします。

必要な人的資源は、チームリーダー1人、システムエンジニア3人、及び設計者6人です。これらの人材をどこから補充できるか、私にははっきり言えませんが、皆様の決定にゆだねたいと思います。

　お伝えしたい重要な点は、100万ドルのコストでチップセットを開発できるということなのです。

　では、キーポイントをまとめて、私のプレゼンテーションを終わりにしたいと思います。

　私たちの目標は、カドタの新しい事業計画に対応し、その2002年度の上位機種、中・下位機種両方に対して1億5,000万ドルの売り上げを達成することです。

　私たちに必要なのは、チームリーダー1人とシステムエンジニアが3人、設計者が6人、そして合計100万ドルの予算です。

　田中氏に来週の終わりには回答しなければなりません。皆様のできるだけ早い決断が必要なのです。

　ご清聴ありがとうございました。

　質問があれば喜んでお答えします。］

フィリップ・ディーン（Philp Deane）
'88年ケンブリッジ・カレッジ卒業（産業マネジメント専攻）。卒業後、欧州最大の家電メーカー、フィリップス社でエンジニア、チーム管理マネジャーを9年間勤める。'91年より、㈱グローバリンクスにて国際ビジネスコミュニケーション・トレーナー及びコンサルタントとして活躍。国際ビジネスコミュニケーション・トレーニングの企画／開発、運営、トレーニングや教材開発を担当。

ケビン・レイノルズ（Kevin Reynolds）
'82年ロンドン大学卒業（化学工学専攻）。コンピューター会社でプレゼンテーションやネゴシェーションの経験を積み、'91年より㈱グローバリンクスにて国際ビジネスコミュニケーション・トレーナーとして活躍。'96～'98年英国のStanford Research Instituteでオンライン教育やウェブ学習などを研究。'98年再来日し、㈱グローバリンクス復帰。'00年よりインテル㈱教育研修開発マネジャー。

英語プレゼンテーションの基本スキル
―グレートプレゼンターへの道―

2002年6月1日初版発行

著者 ● フィリップ・ディーン（Philip Deane）、
　　　ケビン・レイノルズ（Kevin Reynolds）
発行者 ● 原　雅久
発行所 ● ㈱朝日出版社
　　　　〒101-0065 東京都千代田区西神田3-3-5
　　　　TEL(03)3263-3321(代)　FAX(03)3261-0532
　　　　http://www.asahipress.com/e-park/
　　　　郵便振替00140-2-46008
組　版　朝日出版社電算室
印刷所　図書印刷株式会社

ISBN4-255-00162-6 C0082　　　　　　　　　　Printed in Japan

ビジネスEメールの英語
実例で学ぶスタイルと表現

明快でインパクトのある
Eメールを書く!

フランシス・J・クディラ＝著
A5判／定価（本体1,300円＋税）

▶構成とスタイル
▶Eメールならではの英語表現
▶ビジネス戦略の表現

選び抜かれた実例から、とっておきのノウハウを学ぶ。
研修と同じような学習効果をあげられる画期的な解説。

朝日出版社

英語が会社にやってくる

フランシス・J・クディラ 著

案内編

応対編

電話編

ゲストをもてなす編

社内編

出張編

本体価格　1,300円　四六判・並装・144頁

応対、電話、ファックス、Eメール、アテンドなど、外国人ビジネスマンとの仕事に欠かせない英語を、必要最小限にまとめた。英語表現はもちろんのこと、ビジネスマナーも自然と身につくように配慮した初級ビジネス英語講座。

あいさつで終わらないおしゃべりのすすめ

上手に英語でやりとりする法

ジェームス・M・バーダマン
倫子・S・バーダマン

How're you?

Fine, thank you.

で、その先なんて
続けりゃいいんだ？！

英語でナンパされた！
どう断る？

よく見かけるあの人に
英語で声をかけるには？

定価（本体1200円＋税）

100万語[聴破]シリーズCNN編
CDシリーズ新登場!!

完全対訳テキスト + 音声CD(約45分)　本体1,900円

1. ラリー・キング・ライブ・スペシャル
超一流ゲストと全米No.1インタビュアーの激突トーク

マドンナ、マイケル・ジョーダン、カルバン・クライン、リンゴ・スター、ゴア米副大統領、ブレア英首相ら、ここでしか聞けない豪華ゲストの本音トーク。

2. ショウビズ・スペシャル
音楽、映画、そして英語が2倍面白くなる豪華スター・インタビュー

レオナルド・ディカプリオ、セリーヌ・ディオン、ミスター・ビーン、ジャッキー・チェン、スパイス・ガールズ、ローリング・ストーンズら、豪華スターたちのインタビュー集。

3. 日本リポート・スペシャル
世界に向けて報道された世紀末ニッポンの真実

ペルー人質解放、神戸地震のその後、長野オリンピック、援助交際、電波少年、小林よしのりの『戦争論』など、CNNが見た日本をまとめて収録。

4. 大統領の英語 ビル・クリントン
大統領就任演説から不倫スキャンダルまで

選挙勝利演説、一般教書演説、来日記念スピーチから、不倫スキャンダルの釈明スピーチまで、クリントン大統領の保存版スピーチ集。ヒラリー夫人のスピーチも同時収録。

5. ハリウッド・トーク 新版
映画スターたちの、ここでしか聞けない本音、冗談、内幕話

トム・ハンクス、ブラッド・ピット、ウィノナ・ライダー、ニコール・キッドマンら、映画スターたちの本音と素顔。「スター・ウォーズ」のジョージ・ルーカス監督のインタビューも収録。

**見る!! 読む!! 聴く!! 3拍子そろった
理想的なCD-ROMで英会話の力が10倍アップ!!**

映画で英会話シリーズ

映画全編を収録した多機能CD-ROM付
Windows95/98対応

映画を楽しみながら
リスニングの力も飛躍的にアップ!!

英語学習とエンターテインメントのための機能を満載したニュータイプのCD-ROM本

CD-ROMの特長
◆映像と右欄のシナリオがシンクロで進行
◆CD-ROMだからお好きなシーンに自由にジャンプ
◆シナリオは「英語」「日本語」「英・日併記」に自由に切り替え
◆字幕スーパーは「英語」「日本語」「字幕なし」に自由に切り替え
◆フル画面の映画としてもじっくり鑑賞できます

終着駅
本体2000円

主演＝モンゴメリー・クリフト＋ジェニファー・ジョーンズ
監督＝ビットリオ・デ・シーカ　ダイアローグ＝トルーマン・カポーティ
A5判完全対訳テキスト＋映画完全収録CD-ROM
ハリウッド・ラブロマンス不朽の名作。

武器よさらば
本体2500円

原作＝アーネスト・ヘミングウェイ
主演＝ゲーリー・クーパー＋ヘレン・ヘイズ
A5判完全対訳テキスト
＋映画完全収録CD-ROM（2枚組）

旅する英会話シリーズ

オール現地ロケによるビデオをCD-ROMに完全収録
Windows95/98対応

新シリーズ第1弾!!
ニューヨーク・レッスン

A5判完全対訳テキスト
＋CD-ROM
本体2000円

会話のポイントとリアルな旅のイメージが同時につかめる、ニュータイプのCD-ROM本。